Georges Brassens

Florence Trédez

Georges Brassens

Collection dirigée par Philippe Blanchet

On sait que le propre du génie est de fournir des idées aux crétins une vingtaine d'années plus tard.

Louis ARAGON

Je suis hanté ! L'Azur ! L'Azur ! L'Azur ! L'Azur !

MALLARMÉ

Prologue

« Une chanson, c'est une lettre à un ami »

Le temps tue le temps comme il peut : dix-huit ans déjà que Brassens — ainsi titra un quotidien le jour de sa mort — a cassé sa pipe. Dix-huit ans, l'âge de la majorité. Le bon âge pour s'émanciper des idées reçues, bannir les légendes, revendiquer l'héritage. Dans la France d'aujourd'hui, une partie des nouveaux héritiers de Georges Brassens se trouve dans les banlieues, chez ces rappeurs, comme MC Solaar ou IAM, qui secouent la société en traquant le mot juste, en se délectant d'une bonne rime ou en faisant swinguer la langue comme jamais. Les autres ont, tels Dominique A. ou Miossec, une guitare à la main et le goût de la simplicité et de l'intégrité avant toute chose.

Bref, l'influence, subliminale ou pas, du poète bacchanté n'est pas près de s'éteindre. Il faut dire qu'au-delà de ses exceptionnelles qualités et de son œuvre immortelle, Brassens représente un archétype. Celui de l'Artiste avec un grand A, à ses débuts pauvre comme Job, anarchiste, anticonformiste, bohème, refusant d'acquitter auprès de la société une quelconque dette en travaillant *honnêtement*, refusant de se marier, de faire la guerre ou la révolution. Puis, le succès venu avec la trentaine, ne déviant pas d'un iota de sa route, une ligne droite à l'abri des honneurs inutiles, des spéculations financières, des compromissions de la gloire ou de la moindre démagogie. Jusqu'à son *look* immuable qu'on peut décrire en quatre accessoires (une paire de moustaches, une pipe, une guitare et une chaise sur laquelle il pose un pied), l'homme est un chêne indifférent aux rumeurs de la forêt.

À l'heure où le racisme et la xénophobie assumés nous font parfois honte d'être Français, Georges Brassens, humble fils de maçon, à moitié italien par sa mère, représente aussi ce qu'il peut y avoir de meilleur dans l'âme d'une nation. Farouche adversaire de la peine de mort, fustigeant dans une chanson ces « imbéciles heureux qui sont nés quelque part », « la race des chauvins, des porteurs de cocarde », il fera rejaillir un peu de son intelligence et de son esprit de tolérance sur ceux qui, par millions, achèteront ses disques ou viendront à ses concerts.

Traditionnel dans sa musique, dans son écriture, ce descendant de François Villon et de Jean de La Fontaine n'est jamais désuet. À force d'être classique et intemporel, il en devient même résolument moderne, et se ressourcer périodiquement à son écoute est une nécessité, un baume, un plaisir toujours renouvelé. À chaque période de la vie, à chaque tourment existentiel, à chaque bonheur fugace correspond une chanson de Brassens. On peut être jeune, révolté, furieux contre les autres ou malheureux d'être soi et goûter *La mauvaise réputation* ou *La mauvaise herbe*. On peut être un homme et pleurer comme une Madeleine en entendant « Jamais de la vie / On ne l'oubliera / La première fille / Qu'on a prise dans ses bras / On a beau faire le brave / Quand elle s'est mise nue / Mon cœur, t'en souviens-tu ? / On n'en menait pas large... ».

On peut avoir un chagrin d'amour et en guérir subitement avec « le vingt-deux septembre, aujourd'hui, je m'en fous / Et c'est triste de n'être plus triste sans vous ». On peut avoir envie simplement d'écouter une histoire un peu triste et danser en écoutant *La princesse et le croque-notes*. On peut être heureux d'être vivant et fredonner *Dans l'eau de la claire fontaine*. On peut rire en entendant *Les trompettes de la renommée*, être émoustillé par *La fessée*, bouleversé par *La marche nuptiale*, transporté par *La non-demande en mariage* ou *Supplique pour être enterré à la plage de Sète*.

Lorsque l'un de ses amis allait mal, Brassens débarquait à

l'improviste chez lui avec sa guitare et, sans ajouter un mot, lui chantait quelques-unes de ses chansons pour le consoler. En fait, rien n'a changé. Et quand la douleur d'être en vie est trop forte, il continue à mettre des rimes et des mélodies sur notre souffrance pour l'apaiser, lui qui était aussi perdu sur cette terre qu'un autre, mais qui avait le don d'en « faire son miel ». Il disait qu'une chanson, c'était « une lettre à un ami ». Quelle chance nous avons d'avoir l'impression d'être, dès que nous le désirons, l'ami de Georges Brassens...

Chapitre 1

Maman, Papa

Décembre 1919. Au village, sans prétention, on ne parle que de ça : la veuve du 52, rue de l'Hospice va épouser le vieux garçon du 54. Et les commères de commenter : « Elle a bien du mérite, la pôvre ! Son mari est mort pendant la guerre, en lui laissant la petite sur les bras ! Il paraît qu'il était tonnelier à Bouzigues. Avec Louis, ils vont s'installer tous les trois chez les grands-parents Brassens ! Une maison de maçon, c'est solide, ça craint pas les familles nombreuses ! »

Deux ans plus tard, le samedi 22 octobre 1921, à six heures de l'après-midi. Un vigoureux cri de nouveau-né ébranle les murs de la maison jaune à deux étages, sise au 54, rue de l'Hospice, dans un quartier populaire de Cette (qu'on n'orthographie pas encore Sète) plein de vie, de soleil et d'odeurs de sardines grillées. Georges-Charles Brassens vient de naître au milieu d'une tribu méditerranéenne composée de six acteurs marquants. Le père, Jean-Louis, que tout le monde appelle Louis, est maçon, comme son père avant lui, et le père de son père. On peut remonter comme cela longtemps : en vieux français, *brassens* signifie « homme aux bras solides », et de génération en génération de tuiliers et d'artisans en bâtiment, cette famille originaire de Castelnaudary et immigrée à Sète depuis peu a plus porté de pierres que tous les esclaves de la Grande Pyramide ou peu s'en faut. Fier gaillard à la carrure imposante et aux moustaches hyperboliques, Louis est en réalité aussi pudique qu'une violette et préfère se réfugier dans un silence placide et bienveillant. La mère, Elvira Dagrosa, est italienne, fille d'un journalier napolitain venu tenter sa chance de l'autre côté des Alpes. C'est une mamma au visage large et volontaire, une maîtresse femme qui exige parfois trop, sans doute parce que la vie a beaucoup exigé d'elle-même. Sa fille, Simone, la demi-sœur de Georges, va sur ses dix ans. La grand-mère, Marguerite, née Josserand, vient elle aussi de l'Aude, comme son mari, Jules, qui a décidé de s'implanter dans le second port français où le travail est plus abondant qu'ailleurs. Un sacré numéro, ce Jules. Rigolo comme un clown et cabot comme un artiste de Caf' Conc'. Et amoureux des chats : le clan ne serait d'ailleurs pas complet sans une certaine chatte noire, sixième membre de la famille, qui se lèche paresseusement les pattes sur le pas de la porte pendant que les voisines accourent pour admirer le nourrisson joufflu.

On l'aura compris, c'est Elvira, au prénom romanesque, qui porte la culotte dans le couple des parents Brassens. De fait, croyante et catholique pratiquante, elle fait baptiser son fils malgré les molles protestations de son époux, anticlérical convaincu, et l'inscrira même plus tard en maternelle dans une école tenue par des bonnes sœurs. Faut-il faire confiance à Maman ou à Papa ? Toute sa vie, quoique athée, Brassens se posera inconsciemment la question et filera un désamour ambigu avec Dieu, qu'il cite dans une bonne cinquantaine de chansons. Le « mécréant » fréquentera un ami d'enfance devenu prêtre, l'abbé Barrès, et assistera, sans protester, aux nombreux mariages, baptêmes et enterrements de ses proches et parents. « Si l'Éternel existe, en fin de compte, il voit / Que je me conduis guère plus mal que si j'avais la foi. »

Pour l'heure, le petit Georges, qui grandit, ne se soucie pas vraiment des Ave Maria. Aux litanies du curé et des enfants de chœur, il préfère sans hésiter les refrains populaires qui constituent l'ordinaire, avec le pain et l'eau, de la famille Brassens. L'éducation musicale a commencé tôt, dans le ventre maternel même, car Elvira est, selon les propres mots de son fils, « une militante de la chanson ». Qu'elle lessive, qu'elle repasse ou qu'elle abaisse la pâte à larges coups précis de rouleau à pâtisserie (et si elle avait ainsi, sans le savoir, donné le sens du rythme à son rejeton ?), Maman fredonne. Et tout y passe, sans ordre ni hiérarchie : le bel canto napolitain qui lui rappelle le pays, l'opérette ou l'opéra, les derniers succès à la mode qu'elle recopie le soir sur des cahiers d'écolier en guise d'ouvrage de dame, *O sole mio* ou *Le temps des cerises.* Les autres membres du clan ne sont pas en reste. Simone, adolescente, rêvasse en écoutant sur le phonographe familial, cadeau de mariage des parents, *Ville d'amour* ou *Avoir un bon copain* d'Henri Garat. Grand-papa Jules fait rire son petit-fils en entonnant « La Madelon, viens nous servir à boire »... tout en reproduisant comiquement les gestes de la dispensatrice de vin clair. Quant à Georges, il chante aussi d'une petite voix juste, et se forge peu à peu ses propres goûts, vouant une admiration sans bornes à Tino Rossi et à ses musiques signées Vincent Scotto, jurant d'emprunter un jour « *le petit chemin qui sent la noisette* » de Jean Nohain et Mireille ou de suivre, bien sûr, ce fou chantant un brin zazou qu'est Charles Trenet. Tout un univers poétique, quoique *facile,* est là, qui le transporte déjà vers un ailleurs inaccessible...

Car l'existence au quotidien n'est pas toujours gaie pour le jeune garçon qui, bagarreur et turbulent comme tous les garçons de son âge, se montre singulièrement indolent et inattentif lorsqu'il s'agit de faire ses devoirs ou d'écouter le cours d'un professeur. Les leçons lui rentrent par une oreille et ressortent par l'autre plus vite que « ah qu'il est beau, le débit de lait, ah qu'il est laid, le débit de l'eau » et les études pèsent plus lourd sur ses frêles épaules que les charges de mortier qu'il charrie parfois pour aider son père. À l'école, Georges donne l'image du parfait cancre, la blouse tachée d'encre violette, assis au fond de la classe à côté du poêle. Il ne se réveille qu'à l'heure de la récréation, retrouvant tout son entrain et toute son insolence pour distribuer à ses maîtres des surnoms ridicules, facétieuse manie qu'il gardera à l'âge adulte. Et à la maison, Elvira s'arrache souvent les cheveux en lisant le carnet de notes constellé de « peut mieux faire » rageants. Du coup, la voilà bien obligée de sévir, parfois aveuglément, lui refusant plus tard l'achat d'un vélomoteur ou lui supprimant arbitrairement ses cours de musique, lui qui aurait adoré entrer au Conservatoire. « J'ai eu une enfance heureuse, mais gâchée par l'école, avouera Brassens dans une interview. Parce que ma mère était sévère, elle exigeait de moi des bonnes notes. Ça m'embêtait de ne pas lui faire plaisir, mais, en égoïste, je préférais ne rien faire et lui déplaire. » Il ajoute : « Comme je ne réussissais pas bien au collège, ma mère m'a supprimé les cours de musique, pensant que ça pouvait me distraire de mes études. Son rêve, en bonne fille d'immigrés italiens, était de voir son fils devenir fonctionnaire. Comme j'étais assez doué, évidemment, ça la faisait râler de voir que je ne travaillais pas assez en classe. Je lui en ai longtemps voulu. Enfin, quand je dis *longtemps*, ça a duré six mois. Je ne suis pas capable de garder longtemps rancune. » Toute idée de ressentiment s'envole en tout cas en écoutant ces rimes simplissimes mais touchantes : « Maman, Maman / Quand j'entends cette chanson / Maman, Maman / Je r'deviens petit garçon / Alors je suis sage en classe / Pour te faire plaisir / Et j'obtiens les meilleures places / Ton désir. »

Médiocre dans presque toutes les matières, Georges, garçon plutôt physique (l'atavisme, sans doute) se rattrape en gymnastique et, chose qui nous paraît plus naturelle, en français. À quatorze ans, il s'est mis à écrire, « des petites fadaises », comme il dit, des poèmes malhabiles et touchants destinés à épancher un trop-plein sentimental mais aussi, plus étonnant, des œuvrettes scatologiques, premiers balbutiements de *Lalie Kakamou,* manuscrit inachevé dont on retrouvera quelques traces dans son roman *La Tour des miracles.* Une manière comme une autre de se rebeller verbalement contre la morale bien-pensante.

Au collège, André Boiton, son professeur de littérature, versificateur à ses heures, parvient à retenir l'attention du cancre, mais c'est surtout grâce à Alphonse Bonnafé, en classe de troisième, que Georges Brassens voit soudain son univers mental s'ouvrir à la fréquentation des poètes, renversante promiscuité dont il ne se privera plus. Ce Bonnafé est un type politiquement incorrect, dirait-on aujourd'hui : ex-champion de boxe, il affectionne le genre débraillé (alors que la mode est aux melons et aux cols durs) et pose une fesse d'un air dégagé sur son bureau pour dispenser ses cours. Ce précurseur de Robin Williams dans *Le cercle des poètes disparus* n'a pas son pareil pour captiver son auditoire de jeunes provinciaux plus habitués aux cris des pêcheurs vendant leur poisson sur le port qu'à l'enivrante musique signée Baudelaire, Verlaine, Rimbaud ou Apollinaire. « On était des brutes, à quatorze, quinze ans, et on s'est mis à aimer les poètes. Il faut mesurer le renversement. Grâce à ce prof, je me suis ouvert à quelque chose de grand. Beaucoup plus tard, à chaque fois que j'écrivais une chanson, je me posais la question, est-ce qu'elle plairait à Bonnafé ? »

En attendant la gloire et ses servitudes, et toujours négligeant peu ou prou ses études, Georges profite des bontés de la nature sétoise : soleil, baignades, promenades à vélo avec les copains, ces Henri Delpont, Victor Laville, Émile Miramont, Loulou Bestiou, chahuteuse esquisse de la célèbre « bande de cons » qui ne le quittera guère plus tard. Ces messieurs courent le guilledou, font l'école buissonnière et ont monté un orchestre *swing* où Georges, fan de Ray Ventura et Ses Collégiens, peut enfin laisser cours à son sens du rythme naissant. Sans méthode ni partition, le voilà qui martèle avec passion tous les objets contondants qui lui tombent sous la main : table, bouteille, porte, verre à vin. Ça s'appelle, déjà, composer, même si l'on ne sait forcément pas son solfège sur le bout des doigts. Georges se prend à rêver de Paris, d'aventure, et de journalisme à défaut de jazz et de Conservatoire.

Mais un incident mélodramatique va briser cette harmonie trompeuse et précipiter en même temps l'exil vers la capitale. Pour épater les filles et faire les marioles en s'offrant quelques coups d'anisette au bistrot, des fils de bourgeois (moyenne d'âge : dix-huit ans) dérobent des bijoux et narguent la police. L'affaire défraye la chronique locale (la mode n'est pas encore aux « délinquants juvéniles » des années 60) et le nom de Brassens, qui s'est contenté de voler une bague à sa sœur et de faire le guet, davantage par solidarité que par vice, est prononcé. Nous sommes à l'hiver 1938-1939 et Georges, chevelure gominée et fine moustache à la Clark Gable, va sur ses dix-huit ans. Il écope d'un an de prison avec sursis, mais la leçon est rude : à la sortie du tribunal, la foule, vindicative, crie « à mort ! » et le collégien est viré de son établissement. « Je ne fais pourtant de tort à personne, / En suivant mon chemin de petit bonhomme ; / Mais les braves gens n'aiment pas que / L'on suive une autre route qu'eux... » Outre *La mauvaise réputation,* l'anecdote générera une autre célèbre chanson, *Les quatre bacheliers* et un splendide portrait paternel, où l'on découvre un Louis Brassens (qui est venu rechercher son fils au commissariat) merveilleux de tolérance et de compréhension.

« Quand il vint chercher son voleur
Sans vergogne
On s'attendait à un malheur
À un malheur.

Mais il n'a pas déclaré, non,
Sans vergogne,
Que l'on avait sali son nom,
Sali son nom.

Dans le silence on l'entendit
Sans vergogne,
Qui lui disait : « Bonjour, petit,
Bonjour, petit » (...)

Mais je sais qu'un enfant perdu,
Sans vergogne,
A de la corde de pendu,
De pendu

A de la chance quand il a,
Sans vergogne,
Un père de ce tonneau-là,
Ce tonneau-là »

« Avec mon père, on se parlait assez peu, dira Brassens. On se sentait. On avait à peu près le même caractère de ce côté-là. Il m'a toujours beaucoup plu parce qu'il ne s'est jamais tellement occupé de moi. Il me faisait confiance et ne se mêlait jamais tellement de mes affaires. »

Ce géniteur respectable, Georges Brassens va pourtant bientôt le quitter en ralliant Paris où veut bien l'héberger Antoinette, sa tante maternelle qui tient une pension. « Le vent se lève. Il faut tenter de vivre ! » aurait dit Paul Valéry, un autre poète sétois. Là-bas, à la capitale, pense le jeune homme, personne ne se doutera qu'il est « de la mauvaise herbe, braves gens, braves gens ». À vrai dire, nous sommes en février 1940, et la capitale, comme la France tout entière, a bien d'autres chats à fouetter.

Chapitre 2

Le temps ne fait rien à l'affaire

« À nous deux, Paris ! » Rastignac peut bien aller se rhabiller : notre Brassens débarque de son train, un billet de troisième classe poinçonné à la main. Il a pour tout bagage un baluchon et une valise pleine d'illusions : deviendra-t-il romancier génial ? Voleur à la tire ? Poète maudit ? Ou tout simplement clochard ? Entre les quatre propositions, son cœur balance : malheureusement pour ce jeune homme déjà bien singulier, la tante Antoinette, qui a le sens des réalités, l'oblige à chercher du travail. Après avoir vaguement démarché un relieur, Georges trouve à s'ennuyer aux usines Renault, à Boulogne-Billancourt, comme manœuvre spécialisé. Le soir, il retrouve la pension de sa tante, au 173 rue d'Alésia, dans ce quatorzième arrondissement qui lui sera si cher, et un désœuvrement teinté d'amertume, en ces temps difficiles, s'il n'y avait l'existence d'un piano, sur lequel il plaque avec ferveur ses premiers accords.

L'Armistice est bientôt signé, puis c'est l'Occupation. Une bombe tombe sur les usines Renault, réduisant au chômage forcé l'apprenti manœuvre. Les Allemands entrent dans Paris. Avec son ami Loulou Bestiou qui l'a rejoint dans la capitale, Brassens trouve alors judicieux de suivre l'exode des centaines de Français vers le Sud et de s'en retourner à Sète, en train de marchandises s'il le faut. Trois mois plus tard, seul, il revient pourtant à Paris, à croire que, malgré les circonstances, il soit irrésistiblement attiré par la force du Destin, à moins que ce ne soit par les touches blanches et noires du piano d'Antoinette. Celle-ci consent à le loger et à le nourrir, puisqu'il ne peut reprendre son travail chez Renault, et ses parents s'engagent à lui envoyer de l'argent de poche pour financer ses maigres extras.

Pour cet autodidacte de vingt ans timide et à la fois nonchalant et acharné, le vrai labeur commence, le seul qui compte pour lui, celui qui lui enseignera la maîtrise de son art. L'heure est aux semailles ; la moisson, Brassens ne le sait pas encore, viendra plus tard, beaucoup plus tard. Retrouvant l'instrument laqué, il en traque quotidiennement tous les secrets. Ceux qui lui permettent d'exécuter une mélodie (il continuera d'ailleurs toute sa vie à composer au piano, malgré la légende, puis sur un petit orgue électrique) et de s'accompagner en chantant. Le dos courbé sur son clavier, avec pour seul compagnon un pigeon venu roucouler sous sa fenêtre, dans ce village quasi désert qu'est devenu le quatorzième arrondissement, il passe ainsi des heures ardues mais ô combien enrichissantes à laisser courir ses doigts sur les touches. S'émerveillant soudain d'avoir, à force de tâtonnements, retranscrit en musique un rythme qui avait comme envoûté sa main droite, le matin même, la forçant à battre la mesure sur la table du petit déjeuner... Des bruits de bottes allemandes résonnent dans Paris et un futur géant de la chanson est déjà ailleurs, dans une autre dimension et une autre réalité, aussi vaste et aussi variée qu'une galaxie, celle de son imaginaire.

Georges ne se contente pas d'étudier l'harmonie, il écrit. Ses premières rimes parisiennes, dédiées à une jeune pensionnaire de sa tante avec laquelle il a une brève aventure, sonnent plutôt pauvrement à nos oreilles :

« Je garde toujours
De mon court séjour
Dans votre cœur de vingt ans
Un doux souvenir
Que n'arrive à ternir
Le temps. »

D'ailleurs, il avouera à Louis Nucéra : « En arrivant à Paris, j'ai trouvé un traité de versification dans la bibliothèque de ma tante et je me suis mis à l'étudier ; et je me suis évidemment aperçu que non seulement je n'avais aucune idée mais que je ne savais pas du tout écrire, que je ne connaissais pas l'instrument dont je prétendais jouer et alors, je me suis dit que si j'avais la prétention d'écrire des chansons, il fallait essayer au moins de bien les écrire. » Ayant épuisé les trésors littéraires de sa tante, le jeune homme passe de longs après-midi à la bibliothèque du quatorzième arrondissement, où il s'immerge dans l'univers des auteurs, avec la fougue d'un Prométhée décidé à dérober quelque chose du feu incantatoire des anciens. Paul Fort, Lamartine, Rimbaud, Francis Jammes, La Fontaine et surtout Villon ont tout son amour. Brassens expliquera plus tard à Luc Bérimont : « J'ai vécu pendant deux ou trois ans en étant non pas Villon, mais en essayant de l'être. Et il est resté des traces dans ce que j'écris. J'ai dû lui voler quelque chose. C'est-à-dire que quand je faisais mes *humanités*, je ne pensais qu'à Villon, et que par Villon, à travers Villon. Je refaisais ses vers, je les arrangeais à ma guise, j'essayais de m'imprégner de son art. [...] J'étais pétri de La Fontaine aussi, qui d'ailleurs ressemble à Villon... » À l'instar du poète du Moyen Âge maintes fois sauvé *in extremis* de la potence, il aura lui aussi la tentation de prendre le mauvais chemin : « Si je n'avais pas été chanteur, avouera-t-il, j'aurais été voleur. Pas un escroc, ni un assassin, je ne me vois pas en train de buter un mec, non, mais un voleur, oui, piquer du fric... ça doit être bath. »

Quand il ne décortique pas des textes comme on démonte des petites voitures quand on est enfant, Georges Brassens flâne dans le quartier ou aux puces de Vanves, à la recherche de recueils de poèmes écornés ou de volumes jaunis vendus à un ou deux francs, le genre de somme que peut se permettre le jeune homme désargenté. C'est en 1942, au cours d'une de ces promenades, qu'il tombe sur un recueil poétique datant de 1913 et signé d'un certain Antoine Pol. L'une des œuvres, intitulée *Les Passantes*, le touche particulièrement. Il le met en musique et, trente ans plus tard, l'enregistrera, rendant alors célèbre un inconnu de quatre-vingt-cinq ans qui mourra avant d'avoir pu rencontrer celui à qui il devait cette postérité inattendue.

C'est en 1942 aussi, à l'âge de vingt et un ans, que Brassens publie pour la première fois. Pas encore vraiment de quoi révolutionner l'édition mais c'est le geste qui compte. La première plaquette de poèmes s'intitule ironiquement (pour l'auteur) *Des coups d'épées dans l'eau.* Elle est ronéotypée et distribuée aux copains et aux parents qui s'esbaudissent. Devant un tel succès, le jeune rimailleur réitère l'exploit en publiant à compte d'auteur un autre recueil, assez satirique, *A la venvole,* chez Albert Messein, qui édita, excusez du peu, Verlaine et Baudelaire. Bien que cette publication n'entraîne aucun remous notable dans les milieux littéraires (à vrai dire, le contraire eût étonné), elle permet à Georges de passer avec succès son examen d'auteur à la SACEM et de faire porter sur sa carte d'identité la mention *Homme de lettres*. On voit qu'à l'époque, l'homme à la modestie bien connue est tout à fait conscient de ses qualités.

Parmi ses admiratrices qui ont contribué à financer *A la venvole,* il y a la bonne tante Antoinette et une certaine... Jeanne, couturière de son état. Brassens a fait sa connaissance rue d'Alésia, où elle vient livrer ses travaux en voisine, puisqu'elle habite une petite bicoque dans l'impasse Florimont, à deux pas de là. D'une alerte cinquantaine, Jeanne Le Bonniec, née en 1891, est bretonne et mariée à un gars originaire de Brie-Comte-Robert (et non pas d'Auvergne, malgré la chanson), Marcel Planche, peintre en carrosserie automobile. Cette femme du peuple, aussi frêle qu'un oisillon mais dotée d'un sacré caractère et d'un instinct sûr, est intriguée par ce drôle de neveu qui chante et lit toute la journée. Elle sera, en quelque sorte, la première *fan* de Brassens. Les deux protagonistes ne se doutent cependant pas encore que leur relation, qui évoluera au fil du temps (d'abord de l'amitié et une admiration mutuelles, puis de l'amour et du désir malgré leur trente ans d'écart, ensuite peut-être de la lassitude mêlée d'agacement : ces deux-là n'étaient-ils pas trop pareils pour se supporter vraiment ?), durera plusieurs décennies.

Début 1943, une nouvelle va pourtant briser le train-train qui, malgré ces temps inconfortables, s'est peu à peu installé dans la vie de *l'homme de lettres*. Georges est envoyé au STO (Service du Travail Obligatoire), en Allemagne, du côté de Basdorf, une province de Berlin. Pas le temps de dire *ouf*, le poète solitaire a troqué sa mansarde pauvre mais confortable contre un baraquement envahi de types geignards ou dignes, ordinaires ou abjects comme dans *La Grande Illusion*, et se retrouve, pendant la journée, à l'usine BMW qui fabrique des moteurs d'avion pour la Luftwaffe. Mais sous Georges le jeune Sétois, pointe déjà Brassens. Par son charisme et sa force de caractère, il impressionne et force le respect. On lui demande ce qu'il fait dans la vie. Il répond calmement : « Rien », clouant le bec aux imbéciles. On veut lui imposer un tour de balayage ? Il refuse, et les autres s'en tiennent là. Plus vulgaire que les autres quand il faut l'être, il se montre aussi plus humain : il aide un pauvre Italien qui peine à pousser des wagons et lui donne à manger. Du coup : « Un jour, l'un deux poussa avec lui. Les esprits, à l'endroit de ce pauvre Rital, avaient changé. Il aurait suffi que l'un de nous le traitât bien, avec humanité, comme un des nôtres, et non plus comme un paria, un exclu, un réprouvé. » Matinal (toute sa vie, il vivra au rythme du soleil, se couchant avec les poules et se levant bien avant le chant du coq), il accepte de se charger de la corvée de café contre l'autorisation d'allumer la lumière dès cinq heures du matin, heure à laquelle il se met à écrire. Un autre aspect de son tempérament prend toute son amplitude dans cette atmosphère confinée : quand il s'agit d'organiser un monstrueux chahut ou d'inventer une blague stupide, il est toujours le premier à le faire, mais il se contente de suggérer, sans s'investir vraiment. À la fois loin et proche, concerné et indifférent, l'homme a quelque chose d'insaisissable qu'il transforme en règle de vie. « Les hommes sont faits, nous dit-on / Pour vivre en bande, comme les moutons / Moi, je vis seul, et c'est pas demain / Que je suivrai leur droit chemin. »

C'est pourtant parmi ces triviaux camarades de chambrée qu'il va trouver son premier public. Et faire deux rencontres décisives : celle d'André Larue, futur journaliste, et de Pierre Onteniente, le fameux « Gibraltar » (surnommé vraisemblablement ainsi parce qu'il fallait passer par son *détroit* avant d'accéder à Georges), qui deviendra son comptable, son *roc* et son secrétaire particulier. Au camp, celui-ci s'occupe de la bibliothèque, soit une poignée de livres envoyés par le gouvernement français. Pour passer le temps, Brassens, qui s'est lié avec un autre amateur de chansons, René Iskin, imprimeur et anarchiste, joue du piano désaccordé dans le local qui leur sert de *Casino* pour leurs longues soirées oisives et accompagne René. Il chante aussi, *Souvenirs de parvenue* par exemple, une première mouture du *Mauvais sujet repenti* et qui lui attirera le surnom de *Bidet* à cause du couplet suivant, resté inédit dans la version définitive. « Quand la pauvrette à la maison / Rentrait bredouille / Je lui flanquais, plus qu'de raison / Des ratatouilles. / Lui souviendrait-il encor du / Bidet d'hygiène / Avec lequel j'avais fendu / Sa boîte crânienne ? » *Bidet* recueille ses premiers succès, et on acclame *Bidet* qui se fend, légère faute de goût, d'un hymne patriotique à la gloire des Pafs, *Paix aux Français*. Cette expérience curieuse et éprouvante, Brassens, des années plus tard, en parlera ainsi à Jean-Pierre Chabrol : « Je ne regrette pas non plus, je suis très heureux, de ne pas avoir fait la guerre. [...] À ce moment-là, le monde était fou. Moi je n'étais pas fou, ma folie était ailleurs, j'écrivais, je pensais à autre chose, je vivais déjà en marge du monde, je m'étais créé un univers dans lequel n'avaient cours que les idées, les pensées, les sentiments que j'acceptais. Je vivais très peu dans le milieu présent et le milieu ambiant, je vivais juste dans le temps superficiel de ma conscience. [...] J'étais étranger à toute réalité, c'est ce qui explique que, n'étant pas un trouillard, je n'aie pas été héroïque, parce que je n'étais pas là. »

On comprendra donc que les premières chansons qu'il crée en Allemagne et qui seront fameuses dix ans plus tard n'évoquent pas la guerre (ou alors indirectement) mais plutôt la nostalgie de ses parents (*Papa, Maman*), la misère et l'exploitation de l'homme par l'homme (*Pauvre Martin*), la grandeur d'âme d'une épouse trompée (*Bonhomme*) ou un charmant baguenaudage amoureux (*La chasse aux papillons*). Lorsqu'il sera devenu célèbre, Georges Brassens se verra parfois reprocher son refus de s'engager politiquement. À cela, il répondra par *Mourir pour des idées* (« Mourons pour des idées, d'accord, mais de mort lente. »). Dans sa manière d'être foncièrement individualiste, fallait-il voir une preuve de grande sagesse ou un malaise profond et désespéré de vivre en ce monde ?

Chapitre 3

Jeanne

Le Travail Obligatoire — rien que le nom — ne pouvait satisfaire longtemps Georges Brassens. Ce dernier profite d'une permission opportune pour jouer les filles de l'air et quitter définitivement l'Allemagne. Mais à Paris, le déserteur va devoir se cacher et il ne peut envisager de revenir chez la tante Antoinette sans lui faire prendre un risque considérable. Alors, que faire ? Jeanne, bien sûr, se propose de l'héberger, malgré l'exiguïté de sa masure, sans électricité, ni tout-à-l'égout, et dont elle arrache le plancher pour se chauffer l'hiver.

Le 9, impasse Florimont, est un lieu mythologique de la légende Brassens. C'est son Graceland, son Dakota building à lui. Il y restera... vingt-deux ans ! Toute une vie, ou presque, dans cette modeste maison, où règnent l'inconfort le plus total et la fantaisie la plus débridée. Les animaux y sont rois : dans la basse-cour de Jeanne, une buse croise un corbeau, les poules font fuir les rats blancs, un perroquet se moque des chiens et des chats et la cane pond, merveille, un œuf ! Les W-C à la turque sont sur cour, avec leur toit en tôle ondulé et leur porte ajourée, à travers laquelle les copains de Brassens s'amuseront, un jour, à lancer des journaux enflammés pour surprendre l'occupant du lieu. Quant à la pièce principale, elle est à ciel ouvert. Une courette vétuste où trônent, là une marmite émaillée, ici un vélo rouillé, là encore une vieille échelle ou un fil à étendre le linge. Un petit miroir est suspendu à un mur extérieur, sans doute en prévision des jours de toilette au grand air. À l'intérieur de la maison, ça n'est guère plus luxueux : une chambre pour le mari de Jeanne, une autre pour la bonne hôtesse, une troisième, mansardée, pour le nouveau locataire. Une minuscule cuisine où l'on peut tenir à dix, à condition de ne plus respirer. C'est tout. Il fallait bien que les hôtes de ce pauvre logement soient bien extraordinaires pour qu'on ait envie d'y poser sa guitare, sa pipe et ses pantoufles pendant plus de vingt ans...

Et ils le sont largement. Immortalisés dans *Chanson pour l'Auvergnat* (un texte autobiographique, n'en déplaise à Brassens qui répugnait à admettre face aux journalistes la part vécue de son œuvre), Marcel et Jeanne Planche sont des gens pas comme les autres, qui vivent sans rideaux aux fenêtres, sans serrures aux portes et sans préjugés dans le cœur. En Jeannette, qu'il surnomme comiquement « Gros Bidon » (car elle est aussi plate qu'une planche à pain) et que l'ami René Fallet appellera, quant à lui, Calamity Jeanne, le jeune Georges a trouvé une seconde maman, aussi autoritaire et exclusive que la première, mais nettement plus fantasque. Et pas toujours d'humeur égale... Bien qu'elle soit la générosité même avec ceux qu'elle a envie d'aimer, Jeanne a ses têtes et n'hésite pas à mettre dehors les importuns (un trait de caractère « évacué » de *Chanson pour l'Auvergnat*), surtout si ceux-ci n'ont pas apporté leur manger.

Quant à son mari, avec lequel elle ne forme plus un vrai couple, il a la grandeur d'âme de fermer les yeux sur la tendresse qui lie son épouse au jeune poète déraciné. Au 9, impasse Florimont, vit un curieux triangle œdipien, comme aurait dit Freud.

De mars à août 1944, Georges Brassens se terre dans sa chambre, ne s'octroyant que quelques rares sorties nocturnes. Le reste du temps, il se remet à l'écriture pour tromper son ennui et son anxiété d'être découvert par les Allemands, et gratte mollement d'un instrument qu'il a déniché on ne sait où, un banjo. Cette captivité forcée ne dure cependant que cinq mois, car le 24 août, grâce aux Alliés, Paris est libéré. C'est la fête populaire dans les rues, une euphorie libératrice qui prend un goût amer pour Brassens lorsqu'il assiste, impuissant et écœuré, au spectacle vil des femmes tondues en public. Vingt ans plus tard, il s'en souviendra et prendra la défense, sur un ton faussement badin, de ces créatures humiliées dans *La tondue.* « On passait avec un haut-parleur disant : Ce soir le spectacle commence à telle heure ; on exposait des femmes et c'était un truc insupportable. Toutes ces femmes qu'on voulait tondre ! Oh, je ne dis pas que ce soit une action d'État de coucher avec un Allemand ; je ne l'aurais pas fait si j'avais été une femme. Mais enfin, on ne tondait pas les mecs qui s'étaient tapé des Allemandes. Au contraire, c'était bien vu. » Dans le même disque, il exprimera sa répulsion profonde de la guerre en ces termes : « Qu'au lieu de mettre en joue quelque vague ennemi / Mieux vaut attendre un peu qu'on le change en ami / Mieux vaut tourner sa crosse sept fois dans la main / Mieux vaut toujours remettre une salve à demain » (*Les deux oncles*).

Dégoûtés, révoltés, découragés, les amis du STO ou de Sète qui resurgissent les uns après les autres et se retrouvent à l'impasse Florimont, sont à peu près dans le même état d'esprit que Brassens. Décidés à bien marquer le coup et à se désolidariser en bloc de ces temps insensés, ils fondent le *Parti préhistorique,* avec Émile Miramont, aussitôt surnommé « Corne d'Aurochs », pour président. Gag ou pas gag ? Un vent de contestation souffle en tout cas sur le groupe, qui rêve de monter un journal, *Le Cri des gueux,* un projet mirifique et anticonformiste qui ne verra jamais le jour.

Pour Brassens, le chemin est encore long avant de parvenir à la concrétisation de ses rêves et au succès. Il lui faudra huit ans exactement, huit années pendant lesquelles il survit de la bonté des Planche, de Marcel qui se prive d'une partie de son tabac pour lui fournir de quoi bourrer sa pipe, de Jeanne qui lui reprise ses chaussettes *in extremis* lorsqu'elles sont prêtes à rendre l'âme, qui nourrit son corps robuste à grand renfort de nouilles et finance ses publications à compte d'auteur. Du côté de la rue d'Alésia, Georges passe une espèce de jeunesse prolongée, extraordinaire et fauchée. Il s'exerce sur une guitare prêtée par un ami et gratte quelques rythmes en s'aidant d'une méthode. Remanie cent fois ses textes, supprimant un couplet là, ajoutant un alexandrin ici. Même chose pour les mélodies : pour un seul texte, il en a parfois deux ou trois différentes en réserve.

Il vit sa vie, aussi. Les filles passent, aussitôt affublées de surnoms, puis disparaissent. Certains sobriquets sont moins gentils que d'autres : la Panthère, le Succube ou Minouche. La plupart sont des femmes mariées, ce qui lui fera écrire plus tard : « Ne jetez pas la pierre à la femme adultère / Je suis derrière. » Et confier à Philippe Némo : « Je n'ai pas choisi l'adultère parce que c'était un péché, mais parce que c'était la seule solution pour moi. Comme je n'aimais pas non plus — d'abord je n'avais pas les moyens et je suis contre — la prostitution bien sûr. Et puis, ça ne me viendrait pas à l'idée, même si j'avais les moyens, de payer une femme pour avoir des rapports... » Il y a la petite Jo aussi. Une enfant perdue qu'il a rencontrée dans le métro et qui lui a raconté des craques : entre autres, qu'elle était séquestrée par un beau-père violent. Le sang de Brassens, chevaleresque, ne fait qu'un tour mais la pauvrette finira sur le trottoir. Touchante et pathétique à la fois, elle comptera plus que les autres et laissera quelques peines de cœur douloureuses (sans compter quelques germes d'une maladie chère à Vénus) dans la mémoire de Georges qui écrira deux ou trois chansons fameuses en pensant à elle : *P... de toi*, *Je me suis fait tout petit*, et *Une jolie fleur (dans une peau d'vache)*. Cette Josette accréditera peut-être l'idée chez l'auteur-compositeur, pourtant trop délicat et trop sensible pour être réellement misogyne, que certaines femmes (sauf sa mère, Jeanne, la très serviable *femme d'Hector*, la très planplan *Pénélope*, *Bécassine* ou *Hélène* et ses sabots) et certaines « emmerderesses » sont aussi vénéneuses que des fleurs exotiques. Ou tout simplement méchantes... avec de jolis seins. En 1947, il fait pourtant une rencontre décisive. Chez des amis, il a le coup de foudre pour une Estonienne juive discrète qui roule les *r* et s'exprime dans un français chantant. Elle s'appelle Joha Heyman, a dix ans de plus que lui, et restera toute sa vie, dans son ombre, sa compagne fidèle et bien-aimée. Pour l'heure, sa *Püppchen* (il la rebaptise d'abord *la chenille* puis *petite poupée* en allemand) vit avec quelqu'un d'autre, et Georges, quant à lui, se doit de cacher cette nouvelle liaison à Jeanne, qui, bien qu'il n'ait plus de relation intime avec elle, reste un véritable dragon de jalousie.

Si Jeanne, malgré son maigre bagage culturel et son éducation sommaire, n'a jamais cessé de croire au talent et à la reconnaissance future de son Georges, Brassens, avouera-t-il plus tard, a pendant cette période des moments d'abattement et de découragement. Il expliquera à Colin Evans qu'il avait même renoncé à l'écriture pendant plusieurs mois. « J'ai écrit beaucoup de chansons à cette époque-là parce que je pensais que je pourrais gagner ma vie en écrivant des chansons, alors j'essayais d'imiter ce qu'on faisait. Je faisais n'importe quoi, j'étais disponible pour n'importe quoi, quand j'avais vingt ans. [...] J'avais dans ma vie le style que j'ai aujourd'hui dans mes chansons, mais à l'époque, je ne l'écrivais pas, parce que j'écrivais pour les autres. Et puis je m'en foutais. À un moment, j'ai même renoncé à tout ça. Puis je me suis remis à écrire parce que je m'emmerdais tellement : je ne sais pas jouer aux boules, je ne suis pas chasseur, je ne suis pas pêcheur, je n'aime pas jouer aux cartes. Alors, écrire des chansons ou se tourner les pouces, c'était la même chose. »

Heureusement, au lieu de se tourner les pouces, il engrange du matériel musical, de celui qui figurera sur ses deux premiers vingt-cinq centimètres : *Le gorille, Hécatombe, La cane de Jeanne, Le fossoyeur, Brave Margot*. Le poète n'écrit plus pour les autres, mais pour lui-même. Le style Brassens est né : un langage simple, rigoureux et direct, truffé de références érudites à la littérature ou la mythologie, un art de l'épure (à force de coupes et de remaniements incessants du texte) et de la chute (qui éclaire d'un jour nouveau l'ensemble de la chanson). C'est aussi à cette époque qu'il souffre de ses premières crises de coliques néphrétiques, terrible mal dont il souffrira toute sa vie...

En 1947, il publie un pamphlet surréaliste, *La lune écoute aux portes* (énième mouture de son interminable roman *Lalie Kakamou*)... à la NRF, propriété des éditions Gallimard, dont il a plagié le nom et la couverture. Un canular qui donne bien une idée du sens de la provocation particulier du jeune homme et de sa volonté de faire parler de lui. Las, Gaston Gallimard, à qui il a envoyé le livre assorti d'un mot impertinent, et l'ensemble de la critique littéraire en restent prudemment cois.

Soutenu par ses copains, il démarche timidement aussi quelques éditeurs, espérant placer ses chansons pour d'autres artistes. Car il a plus ou moins renoncé à interpréter lui-même ses œuvres, ou n'a jamais été réellement convaincu de la nécessité de le faire. Les éditeurs veulent bien recevoir cette espèce d'énergumène bourru perdu dans ses rêves et qui est trop fier pour accepter quelque modification que ce soit à ses œuvres mais pas lui prendre ses productions, bien trop neuves pour l'époque. Tant pis, il remet ses chansons dans sa guitare et retourne dans l'impasse se faire consoler par Jeanne ou ses amis qui croient, eux, en son talent.

En se liant d'amitié avec un certain Marcel Renot, anarchiste de la Fédération du XVe, qui édite la revue *Le Libertaire*, il se frotte tout à coup au monde de « la presse » et des partisans du drapeau noir. Au *Libertaire*, il débute en corrigeant les textes d'autres anars comme le poète breton Armand Robin, Henri Bouye ou l'ouvrier Marcel Lepoil. Comme leur orthographe est aussi libre que leurs convictions, il se retrouve rapidement chargé d'une rubrique de grammaire, signée *Jo La Cédille*. (Son goût pour la syntaxe, il le tient de son grand-père Jules, qui ne se séparait jamais de son Bescherelle. Georges aura d'ailleurs coutume de dire plus tard que « tout Brassens est dans Bescherelle ».) Il rédige bientôt ses premiers articles, sous les noms chargés d'humour noir de Gilles Corbeau et Pépin Cadavre. L'anarchisme de Brassens, nourri des lectures de Proudhon, Bakounine et Kropotkine, n'est peut-être pas foncièrement orthodoxe, mais il est réel. Antiétatiste, antimilitariste, pacifiste, le poète restera toute sa vie partisan d'une certaine égalité sociale mais aussi, et surtout, d'une indépendance de l'individu face à la société et farouchement opposé à la peine de mort. Mais au *Libertaire*, on ne se contente pas d'avancer des idées, on milite et tout militantisme a ses règles de hiérarchie et ses codes précis. Et comme le protégé de Renot prend un peu trop d'initiatives au goût de tous, on le lui dit et ça l'énerve. Il claque la porte du premier et dernier journal qui l'emploiera comme rédacteur. On est anar ou on ne l'est pas. Mais, patience, la presse va bientôt entendre parler de lui.

Chapitre 4

Les trompettes de la renommée

Poète ou clochard ? Les amis de Brassens commencent à s'inquiéter de l'avenir du *Gros* (quel gros ?), comme ils l'appellent. C'est bien joli de faire marrer les copains en fredonnant des chansonnettes en échange d'un bon repas et de passer ses journées à visiter les tombes du cimetière Montparnasse (son lieu de promenade préféré), mais il faudrait aussi penser à se « réaliser ». D'autant que l'argent manque et que le moral n'est pas brillant non plus. Car, soutenu par son club de *fans* parmi lesquels Onteniente, André Larue et Victor Laville, son vieil ami sétois devenu maquettiste à *Paris-Match*, Georges s'est mis à auditionner dans les cabarets de la rive gauche qui fleurissent en ces années 1948-1951 (c'est l'époque des existentialistes, de Gréco, Sidney Bechet et Boris Vian), et la réponse est toujours non. Au Tabou, au Lapin Agile, à l'Écluse, on refuse ce drôle de zouave inconnu aux moustaches proéminentes, un peu replet (à force de manger des nouilles) dans son costume bleu marine ridiculement guindé et qui transpire, par timidité, à grosses gouttes dès qu'il s'empare de sa guitare usagée. À chaque fois, on lui permet de chanter un soir devant le public, mais, curieusement, ses chansons se perdent dans le brouhaha et l'indifférence générale. Et Brassens encaisse bide sur bide.

Fin 1951, les choses commencent cependant à changer. Compagnon d'anarchie de Georges avec Marcel Renot au *Libertaire*, Henri Bouye est également fleuriste rue de la République. Parmi ses clients avec qui il aime discuter, et pas que du langage des fleurs, il compte Jacques Grello, chansonnier au Caveau de la République tout proche. Un jour, il lui parle de son copain Brassens et de ses chansons « qui valent le coup ». Par gentillesse et par curiosité, Grello consent à l'auditionner chez lui. Comme Georges, empêtré dans son grand corps, est venu les mains vides (et les bras ballants), il lui tend une guitare achetée avec une somme que lui a remboursée son percepteur (ce qui fera dire à Brassens plus tard, qui gardera l'instrument deux ans, qu'à ses débuts, il était subventionné par l'État !). Et le poète, embarrassé, de donner un aperçu de son répertoire dans le salon de Grello, devant sa femme et ses enfants. Tous applaudissent, conquis et enthousiastes, à la fin de ce récital improvisé. Pour la première fois, Brassens a tapé dans l'oreille d'un professionnel, ce qui lui donne un regain de courage.

Jacques Grello, confiant, tente de l'aider en le recevant sur la scène du Caveau de la République, mais le public, cette fois encore, n'est pas au diapason et lui réserve un accueil froid, pour ne pas dire glacial. Pourtant, Georges, cette fois-ci, ne se laisse pas abattre. De retour chez Marcel et Jeanne, il peaufine ses textes, invente une sombre mélodie sur mesure au beau poème d'Aragon, *Il n'y a pas d'amour heureux* (qu'il réutilise d'ailleurs pour habiller *La prière,* de Francis Jammes, car il n'en trouve pas, de son propre aveu, de plus adéquate), termine son roman *La Tour des miracles.* La confiance est revenue. D'ailleurs, dans l'ombre, le destin complote pour dénouer enfin une morne situation qui n'a que trop duré.

L'éclaircie vient soudain de Victor Laville qui, révolté par la bêtise des gens, se décide à solliciter l'aide de Pierre Galante, chroniqueur à *Paris-Match*. Celui-ci connaît du monde, et du beau monde, en particulier Maurice Chevalier et Patachou. Il décroche un rendez-vous pour le 6 mars avec la vedette de la chanson, qui tient à l'époque un cabaret dans une ancienne pâtisserie (d'où son surnom à croquer) montmartroise. La spécialité de Lady Patachou ? Un répertoire de ritournelles plutôt anticonformistes et la manie amusante de couper les cravates des hommes dans le public s'ils refusent de pousser la chansonnette. En apprenant qu'il a rendez-vous avec elle, Brassens, résigné, n'y croit pas plus qu'à l'habitude, chat échaudé craignant l'eau froide.

Le soir du 6 mars, c'est encadré par ses « gardes du corps » — Laville, Galante et Roger Thérond, un autre ami journaliste — qu'il prend à contrecœur le chemin de la Butte. Il est entendu qu'il passera sur scène lorsque Patachou aura fini son tour de chant, vers les deux heures du matin, heure indue, rappelons-le, pour ce couche-tôt ! Et c'est encore plus renfermé et bougon que d'habitude qu'il se présente à l'entrée de l'établissement. Il aurait d'ailleurs pris ses jambes à son cou si Victor Laville ne s'était emparé, d'autorité, de sa guitare, et ne l'avait dirigé, dans l'obscurité, vers une table d'où le quatuor put suivre la fin du spectacle.

Son tour de chant terminé, Patachou se dirige vers eux et leur dit : « À tout à l'heure ! Lorsque j'aurai dîné, je vous écouterai ! » Et sans autre forme de politesse, un peu lasse, la vedette s'assied à une table où elle entame de bon appétit un poulet-salade en compagnie de son mari, Pierre Billon. Blême, une sueur froide coulant lentement dans son cou, Brassens se demande une dernière fois ce qui l'a poussé à accepter cette nouvelle mise à l'épreuve. Et c'est littéralement poussé à coups de pied dans le derrière (un plaisir qui ne se refuse pas) par ses bons amis qu'il atterrit sur la petite scène, encouragé par la maîtresse de maison qui a fini son dîner et secondé par Laville qui tient devant lui son cahier de chansons au cas où il aurait un trou de mémoire. Les cheveux longs (pour l'époque) et noirs, la moustache hérissée, le regard affolé, « le Gros » offre le spectacle hénaurme et cocasse d'un taureau terrorisé envoyé par erreur dans l'arène. D'une voix étranglée par l'émotion, il entame : « Au village, sans prétention... » et interprète toute *La mauvaise réputation.*

Du côté de la vedette, stupeur et admiration immédiate. Elle encourage Brassens à enchaîner par d'autres refrains : *Brave Margot, Les amoureux des bancs publics* et pour finir, *Le gorille.* Les serveurs, eux-mêmes, qui vaquaient dans la salle, ont posé leurs torchons et écoutent, enchantés. Dans un coin, un violoniste et bassiste, nommé Pierre Nicolas, ne sait pas encore qu'il vient de rencontrer son futur patron. Patachou, quant à elle, est tout de suite subjuguée, alors qu'éclate une salve d'applaudissements. Le lendemain, elle prédira benoîtement à Laville : « Dans un an, votre copain sera plus connu que moi ! » En un quart d'heure, le destin de Brassens vient de basculer. Mais la chanteuse, qui veut se réserver quelques chansons pour son propre répertoire, n'est pas au bout de ses peines puisqu'elle doit encore convaincre « l'animal » qu'il se doit de chanter lui-même les autres, comme *Le gorille*, nettement plus viriles et dérangeantes. Un dialogue surréaliste s'ensuit, racontera-t-elle plus tard :

« Vous devriez chanter, dit-elle.

— Bof, je ne suis pas saltimbanque, moi, répond-il.

— Pourquoi, c'est pas beau, saltimbanque ?

— Si vous voulez...

— Ben... faudrait s'entendre ; vous avez besoin de travailler ?

— Travailler, non.

— Vivre ?

— Ah ! Oui, j'aimerais autant.

— Il y a des cas dans lesquels il faut travailler pour vivre.

— Ah ! Oui... vu comme ça...

— Parce que dès lors que vous travaillez, vous avez une chance d'être payé. Alors si vous êtes payé, vous pouvez vivre mieux.

— Je me défends pas mal !

— Je veux pas vous pousser...

— Non... on peut essayer. Chanter pour des cons... Y vont rien comprendre ces cons... ».

Les « cons » sont pourtant assez intelligents pour l'applaudir, le 9 mars, lorsqu'il fait ses débuts officiels chez sa bienfaitrice. Grâces leur en soient rendues car physiquement, Georges Brassens distille une certaine impression de malaise, renâclant lui-même à se produire sous les feux des projecteurs et grommelant dans sa moustache de drôles de borborygmes à la Ubu d'où il surnage que « putain de merdre, vous êtes tous des crons ! » Plus tard, un peu rodé, cet incorrigible orgueilleux qui ne salue pas insultera parfois son public composé de noctambules qui ne se gênent pas pour parler à haute voix ou à faire tinter leurs fourchettes. (« Vous êtes saoul, mais vous n'êtes qu'un buveur ordinaire ! » lancera-t-il à un spectateur impoli.) Mais sa voix chaude et rocailleuse d'humble « croque-notes » et ses mélodies à la fois populaires et sophistiquées et immédiatement mémorisables ont accompli le miracle. Contrairement à ce qu'il a souvent été avancé, c'est d'abord grâce à la beauté et à la profondeur de sa musique que Brassens, pourtant ignare en solfège, rencontrera un très large public. La richesse de ses textes ne venant qu'après, comme une cerise sur le gâteau.

Ami de Patachou et grand découvreur de talents, Jacques Canetti dirige la maison Polydor-Philips et gère les Trois Baudets, un cabaret épatant où perceront Jacques Brel, Juliette Gréco, les Frères Jacques, Raymond Devos ou Boby Lapointe. Son flair hors pair lui dicte d'inviter ce débutant génial. Il lui fait donc la proposition que Brassens décline en baissant les yeux, « pour cause de raisons matérielles ». Interloqué, Canetti s'aperçoit alors que la découverte de Patachou n'a qu'une paire de savates éculées et une chemise rapiécée en guise de costume de scène !

À trente ans passés, le Sétois commence à faire sérieusement parler de lui. Il faut dire que ses histoires violentes et charmeuses à la fois de gorille lubrique et de nombril de femmes d'agents de police tranchent radicalement avec le tout-venant de l'époque. Les grands succès de cette année 1952 s'appellent *Tire l'aiguille*, de Renée Lebas, *Deux petits chaussons*, par André Claveau ou *Ma p'tite folie*, de Line Renaud. Pas vraiment de quoi choquer, contrairement à ce bonhomme un peu ours qui s'attaque aux flics, aux curés ou à l'armée et qui fait parfois se lever d'indignation des rangées entières de spectateurs choqués. En 1953, l'écrivain René Fallet publie un billet dans *Le Canard enchaîné* à la gloire de cet « arbre planté sur la scène des Trois Baudets » et qui ressemble « tout à la fois à défunt Staline, à Orson Welles, à un bûcheron calabrais, à un Wisigoth et à une paire de moustaches ». Il deviendra son ami pour la vie. Canetti, qui a envoyé Brassens en tournée pendant l'été avec Pierre Nicolas, devenu son contrebassiste attitré, Patachou et les frères Jacques (l'occasion pour Georges de faire les pitreries les plus absurdes en coulisses), envisage de sortir en soixante-dix-huit tours *Le gorille*. Refus de la direction de Philips qui craint le scandale. Jacques Canetti détourne le problème en sortant le disque sur le label Polydor. En duo avec Georges, Patachou a déjà enregistré *Maman, Papa* et en solo *Le mari bricoleur*, qui devient un « tube ». À partir de 1953, même si *Le gorille* ne sera diffusé que deux ans plus tard sur Europe 1, la seule (et toute jeune) station à avoir accepté de passer le titre, c'est l'explosion discographique avec ses soixante-dix-huit tours qui sortent à un rythme mesuré : d'abord *La mauvaise réputation* et *Le petit cheval*, puis *Corne d'aurochs* et *Hécatombe*, etc.

Tête d'affiche de Bobino en 1953, Brassens n'a pas perdu pour autant son fichu caractère ni son sens aigu de l'amitié. Entre deux chansons, ne voyant plus dans les coulisses ses copains venus lui soutenir le moral, il s'enquiert de leur présence. On lui explique que Jacques Canetti les a fait partir. Furibard, il va trouver Canetti et lui hurle aux oreilles : « Vous n'êtes rien, ici ! Ce sont les artistes qui font marcher la baraque ! » À ce butor mal embouché, on confie pourtant le public de l'Olympia deux fois de suite au cours de l'année 1954, on décerne le Grand Prix de l'Académie Charles-Cros et on édite, suprême honneur, ses chansons aux éditions Denoël. Entretemps, Brassens a publié également son deuxième roman, *La Tour des miracles*. En dix-huit mois d'un début de carrière foudroyant, le « pornographe du phonographe » a acquis le titre grandiloquent de *poète* et ceux qui criaient au scandale quelques mois plus tôt lui tressent des lauriers, même si les éditions Philips, qui ont récupéré la bonne affaire, intitulent son premier trente-trois tours vingt-cinq centimètres : *Georges Brassens chante les chansons poétiques (et souvent gaillardes) de... Georges Brassens*. On n'est jamais trop prudent ! Le poète, quant à lui, a une idée précise de son métier : « La chanson est un art qui est souvent fait par des mineurs, mais pas un art mineur. Il faut être très rigoureux. Il faudrait avoir plus de respect pour le public de la chanson, qui n'a pas toujours les moyens de se défendre contre la médiocrité. Il y a des gens, dans ce public, qui n'ont pas eu les moyens de se cultiver, ni même de s'instruire. À ceux-là, il faudrait donner de belles choses. » De « belles choses », cet homme en a plein sa guitare, il suffit de demander gentiment pour qu'il en fasse profiter ses chats, ses copains, son public.

Chapitre 5

Auprès de mon arbre

« Serein, contemplatif, ténébreux, bucolique... » Par la grâce tranquille d'un splendide alexandrin, voici comment l'auteur décrit l'homme dans *Les trompettes de la renommée.* L'écrivain Gabriel García Márquez, quant à lui, brossera le portrait de Brassens après l'avoir rencontré une seule fois lors d'une première à l'Olympia : « [...] C'est pour moi un souvenir ineffaçable. Il apparut dans les coulisses, non comme s'il était l'étoile de la soirée, mais comme un machiniste égaré, avec ses énormes moustaches de Turc, ses cheveux ébouriffés et une paire de pauvres chaussures, pareilles à celles que son père utilisait pour coltiner les briques... C'était un ours gentil, avec les yeux les plus tristes que j'aie jamais vus et un instinct poétique qui ne reculait devant rien. [...] Cette nuit inoubliable, à l'Olympia, il chanta comme jamais, comme consumé par cette peur innée de l'exhibition publique qui était la sienne ; et il nous était presque impossible de savoir si nous pleurions pour la beauté de ses chansons ou la compassion que nous inspirait la solitude de cet homme fait pour d'autres mondes et pour un autre temps. C'était vraiment comme d'être en train d'écouter François Villon en personne, ou un Rabelais à la fois féroce et désarmé ».

Dans un entretien avec Jacques Brel recueilli par Jean Serge pour Europe 1, ce « Rabelais féroce et désarmé » livrera quelques bribes de sa vérité : « C'est assez difficile de parler de soi et d'expliquer les raisons pour lesquelles on chante, c'est très difficile à traduire. On pousse des cris pour que les autres les entendent, on appelle au secours, on appelle à l'amitié. On est tout seul sur la terre, on est perdu au fond d'un bois, et on crie, et on appelle à l'aide. Ceux qui nous entendent viennent, s'ils veulent. On est des bateaux en détresse, et nous lançons des SOS, moi, c'est ce que je fais dans chaque chanson. J'appelle au secours. » Sans doute pour donner le change, quand il ne lance pas des SOS désespérés, le bateau Brassens semble naviguer sur une mer d'huile ou même faire du surplace. Contrairement à un Brel dont l'existence se nourrira de ruptures professionnelles, amoureuses ou même géographiques, la vie de Georges Brassens est d'une linéarité exemplaire qui confine à l'insolite et fait de lui un anti-héros à l'instar de ceux de Dino Buzatti. En général, quand une existence est lisse à ce point, on soupçonne l'âme d'être sujette à tous les orages et à toutes les tempêtes intérieures...

Fidélité est le maître mot de ce parcours réglé en apparence comme du papier à musique. Fidélité à ses partenaires professionnels, à son bras droit Pierre Onteniente, l'ex-employé de la perception du camp de Basdorf qui prend en main ses affaires lorsque Georges, au reçu de son premier chèque, lui demande ce qu'il peut bien en faire ! Fidélité à ses musiciens, l'inusable Pierre Nicolas, avec lequel il échangera pendant vingt-cinq ans d'incessants palabres secrets sur scène. Fidélité à sa maison de disques Philips et à la station Europe N° 1, qui avait été la première, on l'a vu, à prendre le risque de diffuser *Le gorille*. Fidélité au quatorzième arrondissement et à l'impasse Florimont, qu'il ne quittera que contraint et forcé (et même outré) en 1966 lorsque la Jeanne, à soixante-quinze printemps, prit pour lubie d'épouser un alcoolique de quarante ans son cadet et qui se prénommait, ô ironie, Georges (un faux fils/amant chassant l'autre) ! Fidélité à ses amis du métier à qui il donnera de discrets coups de main quand ceux-ci seront au creux de la vague (Pierre Louki, Marcel Amont, Pierre Perret). Fidélité enfin à sa compagne Püppchen avec qui il vivra séparément et à qui il écrira une superbe *Non-demande en mariage*. « Püppchen, ça n'est pas ma femme, c'est ma Déesse ! J'ai trop vu l'amour devenir quelque chose de minable avec la cohabitation. C'est très dur entre deux êtres la vie ensemble tous les jours. Si j'étais marié à une femme insupportable ? Je l'aurais gardée comme une maladie. » « À aucun prix, moi je ne veux / Effeuiller dans le pot-au-feu / La marguerite. [...] De servante n'ai pas besoin / Et du ménage et de ses soins / Je te dispense... / Qu'en éternelle fiancée / À la dame de mes pensées / Toujours je pense... » Avec son « éternelle fiancée », il n'aura jamais d'enfant. Ce qui fera dire à Brassens avec une cohérence implacable : « La mère Püppchen, je l'ai connue, j'avais vingt-six ans, elle ne pouvait pas avoir d'enfant, la question était donc résolue. Je ne pouvais pas décider de faire un enfant avec une autre, et en faisant mes chansons, j'ai plus apporté quand même qu'en faisant un enfant. Tout le monde peut faire un enfant. C'est plus facile de faire un enfant qu'une chanson. »

Fidélité aussi à sa célèbre « bande de cons » avec laquelle il passe tous ses après-midi, retournant aux blagues les plus primitives et les plus potaches. Cette compagnie de charmants imbéciles, c'est son chaos à lui. Surnommé *Sétois la zizanie* par l'écrivain René Fallet (lui-même rebaptisé *Villeneuvois la rancune*), Brassens aime à y semer la rivalité et la médisance, son péché mignon, entre deux discussions jusqu'à point d'heure contre l'armée, les bourgeois, les flics ou les curés, tout en éclusant un plat de cochonnailles et une douzaine de bouteilles de bon vin : chez lui, les absents ont toujours tort. Il y a de la cour royale dans cette sympathique assemblée, puisque la plupart sont venus par admiration pour le maître et vont jusqu'à, parfois, imiter son port de bacchantes et sa manie de fumer la pipe. Éric Battista, alias *le sportif imbécile*, champion européen de triple saut, Jean-Pierre Chabrol, alors journaliste à *L'Humanité,* Pierre Onteniente, Louis Nucéra, Loulou Bestiou, Jean Bertola, René-Louis Lafforgue, Raymond Devos, Lino Ventura, et bien sûr René Fallet ont tous, parmi d'autres, leur carte virtuelle au club du *Gros.* Avec certains, comme Pierre Louki, par exemple, il cultive au contraire une relation pleine de pudeur, qui s'étire au fil d'après-midi désœuvrés et mélancoliques, émaillés de silences qui en disent plus longs que de sententieux discours... « Je crois que mes amis se sentent en confiance avec moi, confiera-t-il à

Louis Nucéra. C'est un grand honneur qu'ils me font, mais je ne suis capable de résoudre aucun problème, peut-être qu'il émane de moi quelque chose qui donne une espèce d'assurance, moi qui n'ai pas tellement d'assurance, qui ne suis sûr de rien, qui suis quand même d'une nature plutôt inquiète. Eh bien, non, mes amis ne sortent pas de chez moi abattus, ils sortent au contraire gonflés à bloc. Mais je ne donne rien du tout. Je donne mon amitié, ma confiance, c'est tout, mais ça c'est pas fatigant du tout, au contraire, ça me défatigue, moi. Quand les gens viennent chez moi tout abattus, ils ne savent pas que je suis abattu moi aussi, on parle pendant deux heures et ils sortent gonflés, et, dès qu'ils ont passé la porte, moi aussi je suis regonflé par leur visite. Au fond, les amis vous donnent tout et vous prennent tout en même temps. »

Pourtant, la vie ascétique, quasi monacale de Georges, est vouée à une seule chose, qui n'est même pas l'amitié, ni l'amour, ni le travail, ni la pensée, ni la vie elle-même, mais un condensé imaginaire de toutes ces choses : la chanson. L'un des rôles de Gibraltar consiste d'ailleurs à décourager toute personne un peu trop entreprenante (journalistes, gens du métier, amis envahissants) pour permettre à Brassens de s'adonner à sa seule véritable passion, la création. Celui-ci travaille en artisan, à l'image de ces compagnons accomplissant méthodiquement leur tour de France, faisant mille et une versions d'un texte, composant plusieurs mélodies pour l'habiller, changeant de rythme ou de tempo, testant ses œuvres sur son entourage avant de les interpréter en public et les gardant parfois plusieurs années avant de les lâcher dans la nature. Ce qui explique ses légendaires trous de mémoire sur scène, dus non pas à une mémoire défaillante (la sienne était au contraire phénoménale) mais aux trop nombreux remaniements dans ses chansons et qui obligent Onteniente à tenir à bout de bras en coulisses des panneaux où sont écrites les paroles en gros.

De ce long fleuve tranquille, pur et discret en guise d'existence, l'œuvre de Georges Brassens tire, pour son public, d'autant plus de force. L'honnêteté, l'humilité, le refus des compromissions sont au centre des préoccupations du *Petit joueur de flûteau,* sans doute la chanson qui le dépeindrait le mieux. « Le petit joueur de flûteau / Menait la musique au château / Pour la grâce de ses chansons / Le roi lui offrit un blason / Je ne veux pas être noble / Répondit le croque-notes / Avec un blason à la clé / Mon la se mettrait à gonfler. / On dirait, par tout le pays / le joueur de flûte a trahi. » Et le « brave petit musicien » de faire sa révérence au château et de se mettre en chemin « sans armoiries, sans parchemin, sans gloire [...] vers son clocher, sa chaumine, ses parents et sa promise »... D'une droiture jamais démentie, Brassens est un homme debout qui, lorsque retentiront les trompettes de la renommée, ne changera pas d'un iota sa façon de voir les choses. « Refusant d'acquitter la rançon de la gloire... », il « vivra à l'écart de la place publique », bannissant de ses écrits ou de ses paroles le moindre soupçon de démagogie. « Depuis le début, j'ai le même comportement en face de la vie, en face de l'argent, en face de la réussite, en face des grands, en face des humbles. Je suis un des types les plus engagés de la chanson, en fait. Seulement, on entend par engagement adhésion à un parti, et il se trouve que je ne reconnais à aucun parti le droit de m'avoir. Mais, quand il y a une loi en vigueur dans ma rue, je la respecte. Parce que je n'aime pas déranger. Et que si c'est la loi de la majorité, bien que je pense que la majorité n'ait jamais raison, je m'efface », avouera-t-il lors d'une interview accordée à *L'Express*. Les honneurs ? « Le seul honneur qu'on puisse me faire, c'est d'aimer mes chansons », aura-t-il coutume de dire avant de refuser, un peu ébahi tout de même, d'entrer à l'Académie française le bicorne et l'épée à la main lorsque celle-ci lui en fit la proposition en 1967.

L'argent ? « Pour ne pas gagner d'argent, il faut en avoir les moyens », aimera à répéter celui qui vendra cinquante-quatre millions de disques de son vivant sans vraiment savoir combien ça lui rapportait. Grâce à Gibraltar, qui s'occupera de main de maître de ses finances et le poussera à créer en 1957 les Éditions Musicales 57 (pour gérer son propre catalogue de chansons), il n'aura rapidement plus besoin de travailler pour vivre et s'en contentera largement, donnant parfois son argent à des œuvres ou couvrant ses amis de livres qu'il tenait absolument à leur faire découvrir. Les discussions d'argent l'ennuyant au plus haut point, il ne pensera même pas à renégocier son contrat discographique avec les directeurs qui se succédèrent à la tête de Philips. Ce sont ces derniers qui augmenteront spontanément ses *royalties* ! Dans sa jeunesse bohème, il avait manqué du confort élémentaire, dans son âge mûr, ses seuls *luxes* ostensibles seront d'acheter d'abord une jeep Willys d'occasion, une Traction 15/6 qu'il conduisait lui-même en tournée et une DS noire, ou de faire mettre l'eau courante et l'électricité à l'impasse Florimont. « Je déteste le confort, on s'y enlise, on se perd. [...] Avant, les hommes n'avaient pas de confort, pas de réconfort, ils se sentaient malheureux. Ils cherchaient quelque chose à leur portée, de possible. Ils faisaient travailler leur cervelle. Ils ont inventé des dieux, puis Dieu. Un Dieu qui leur donnerait sûrement du bonheur, un jour ou l'autre. Maintenant, ils remarquent qu'ils fabriquent eux-mêmes du bonheur, enfin, un certain bonheur, celui du confort. Ils sont leur Dieu. Ils se posent moins de questions, en tout cas, ça reste au niveau du réfrigérateur, de la voiture, du métier, des femmes. Ils en arrivent à se foutre de tout ce qui ne les touche pas personnellement. »

Sur toute l'œuvre de Brassens souffle enfin un rare esprit de tolérance. Dans une Radioscopie de Jacques Chancel, il évoquera cette vertu qui ne court pas les rues en ces termes :

« — Vous connaissez le mot liberté. Est-ce que vous connaissez bien, également, le mot tolérance ?

— Le mot tolérance, je le connaîtrais plutôt mieux que celui de liberté, bien sûr.

— Il est plus vrai ?

— Je ne sais pas s'il est plus vrai, mais enfin, il est plus mien. J'ai plus le sens de la tolérance que de la liberté, parce que la liberté, c'est quand même beaucoup plus vaste. Si tous les êtres avaient un esprit de tolérance, la liberté irait de soi... »

Depuis *La mauvaise réputation* où il remarquait déjà que

« Que je me démène ou que je reste coi / Je passe pour un je-ne-sais-quoi / Je ne fais pourtant de tort à personne / En suivant mon chemin de petit bonhomme / Mais les braves gens n'aiment pas que / L'on suive une autre route qu'eux », Brassens en appelle à davantage de générosité et de tolérance de la part des « croquants » (les paysans) et des « bourgeois ». Il reprend le même thème dans *Chanson pour l'Auvergnat*, *Les quatre bacheliers*, *La tondue*, et fustigera « la race des chauvins, des porteurs de cocardes » dans *La ballade des gens qui sont nés quelque part*. « C'est pas un lieu commun celui de leur naissance / Ils plaignent de tout cœur les pauvres malchanceux / Les petits maladroits qui n'eurent pas la présence / La présence d'esprit de voir le jour chez eux / Quand sonne le tocsin sur leur bonheur précaire / Contre les étrangers tous plus ou moins barbares / Ils sortent de leur trou pour mourir à la guerre / Les imbéciles heureux qui sont nés quelque part. » Une chanson d'actualité du temps de Brassens et qui le reste encore aujourd'hui...

Chapitre 6

Le petit joueur de flûteau

En 1956, le croque-notes accepte de tourner dans un film de René Clair aux côtés de Pierre Brasseur, *Porte des Lilas,* par amitié pour René Fallet qui a écrit le livre (*La Grande Ceinture*) dont est tiré le scénario. Il consent également à en composer la musique (le délicieux *Au bois de mon cœur, Le vin, L'amandier*). Le rôle de l'Artiste avec un grand A, une grande pipe et de grosses moustaches qui lui est dévolu semble avoir été imaginé pour lui. L'apprenti comédien ne s'en tire pas trop mal mais ne se laisse pas vraiment impressionner par le monde *magique* du cinéma. Au metteur en scène qui lui ordonne, dans une scène, de se lever de sa chaise à l'entrée d'un policier, il refuse tout net. « Pas question de me lever devant la maréchaussée ! » s'écrie-t-il en substance. On changera la scène pour lui. De cette unique expérience d'acteur, il livrera quelques commentaires désabusés à Luc Bérimont : « Dans le film, je n'ai rien fait. Je me suis borné à attendre les ordres de René Clair, il n'y a rien d'humiliant là-dedans, mais il n'y a rien de très passionnant, d'excitant ; j'aime mieux passer un mois sur un vers, une mélodie ou une note de guitare... Au studio, il fait très chaud, et moi, j'ai horreur de la chaleur. Les gouttes me tombent le long du nez, et puis sur la moustache... Je me sens un peu perdu, il y a beaucoup de monde et on crie : « Silence, taisez-vous », et puis, ça me paraît assez triste, j'ai travaillé chez Renault, et ça ressemble un peu à ça... » Avec le grand écran, il se bornera ensuite à avoir des relations épisodiques, composant la musique des *Copains d'abord* d'Yves Robert, celle du *Drapeau noir flotte sur la marmite* de Michel Audiard ou enregistrant *Heureux qui comme Ulysse* pour le film de son ami Henri Colpi.

L'année 1957 s'avère épuisante. Une vingtaine de jours à l'Olympia, la même chose à l'Alhambra et à Bobino, des crises de coliques néphrétiques qui le laissent hagard et désemparé, le tout assorti d'insomnies tenaces, l'ont laissé sur les genoux. La fatigue d'une de ses rares tournées à l'étranger (la Suisse, la Belgique, l'Italie), l'année d'après, le pousse à souffler un peu et à acquérir une maison de campagne à Crespières, dans les Yvelines, où il a pour voisins Bourvil, ce qui est bien, et un camp militaire, ce qui est nettement moins bien. C'est l'occasion pour lui de recevoir ses parents, ses amis et de s'adonner à l'un de ses dadas, la photographie. Plus tard, la résidence, abandonnée par Brassens lorsque le terrain voisin sera vendu à un promoteur qui fera construire plus de mille pavillons, sera presque entièrement démantelée et pillée par des cambrioleurs, sans que le chanteur lève le petit doigt pour les en empêcher... Il faut dire que quelques années plus tôt, il remerciait par avance ses voleurs dans *Stances à un cambrioleur* en ces termes : « Sache que j'apprécie à sa valeur le geste / Qui te fit bien fermer la porte en repartant / De peur que des rôdeurs n'emportassent le reste / Les voleurs comme il faut, c'est rare de ce temps. »

Parallèlement aux tournées en France et à l'étranger (en 1958-1959, fait exceptionnel qui ne se renouvellera plus guère, il donne des récitals en Suisse, en Belgique, en Italie, et même en Afrique du Nord, ce qui est bien loin pour un sédentaire de son espèce), il enregistre, bien sûr, la suite de ses trente-trois tours vingt-cinq centimètres que ses fans attendent à chaque fois avec l'impatience qu'on imagine.

Une séance en studio avec Georges Brassens, ça ressemble plus à une veillée au feu de bois qu'à un sommet de haute technicité. À ses débuts, le musicien avait d'ailleurs gentiment bougonné à l'intention de Canetti : « Vous savez, moi je viens avec des chansons que je connais bien, que je chante dans le ton qui me convient. Je fais donc des disques pour vous, alors ne me faites pas recommencer. » Tout au long de sa carrière, le scénario restera à peu près le même : une heure et demie de bavardage et de rigolade, histoire de mettre Georges de bonne humeur, puis on crache dans ses mains, on appelle tout le monde sur le pont, on fait une seule prise quasiment par chanson et huit chansons par séance, et hop, l'album est dans la boîte ! Le plus fort étant que cette méthode qui a le mérite de la simplicité sied à merveille au *son* Brassens et à l'authenticité de l'interprétation et que, musicalement, il n'y a pas grand-chose à redire à la qualité de ses enregistrements. Pour le reste, Brassens s'en fout. Si le retour n'est pas assez puissant à son oreille, il n'ose pas le signaler, pour ne pas déranger, et si Pierre Nicolas, son contrebassiste, est satisfait du résultat, il file sans demander son reste. Un jour, l'ingénieur du son André Tavernier lui suggère qu'il lui arrive de chanter faux. Brassens lui rétorque : « Vous avez dit "je t'aime" en parlant juste, vous ? »

Dans son entourage musical immédiat, c'est bien entendu toujours les mêmes qui gravitent autour de lui : l'indestructible Pierre Nicolas, avec qui il partagera vingt-cinq ans de complicité, et les trois guitaristes qui se succéderont pour l'accompagner mais qui n'apparaissent jamais sur scène. Le premier, Victor Apicella, se voit recruté, comme Nicolas, dans l'orchestre de Léo Clarens. Il meurt d'un cancer et est remplacé par Barthélémy Rosso, guitariste à la solide formation classique, qui décède à son tour d'un cancer. Le troisième est l'auteur-compositeur Joël Favreau. Tous partagent une admiration pleine de respect pour le musicien et l'interprète Brassens dont ils reconnaissent le formidable instinct, un peu à la manière d'un bluesman ou d'un chanteur de folk américain. À propos de ses compositions, que trop de critiques auront dénigrées, l'auteur des *Sabots d'Hélène* fera cette remarque à Louis Nucéra : « Rarement des musiciens vous diront que mes musiques sont toujours les mêmes et sont tout à fait insignifiantes. J'essaye de faire une musique qui ne se voit pas trop, du moins qui ne s'entend pas trop, j'essaye de faire en sorte que ma musique ressemble à *Auprès de ma blonde* ou *Sur la route de Dijon.* Je ne tiens pas à ce que l'attention du public soit détournée par des fioritures, par un son de flûte, par un son de trompette. J'aime beaucoup justement ça, j'aurais beaucoup aimé avoir des orchestrations sur mes chansons mais je crois que ce n'est pas à moi de faire ça. »

En 1959, c'est durant une tournée française passant par Biarritz que Brassens est soudain pris d'un malaise (dû à ses problèmes rénaux) dans une salle de cinéma. Il sort prendre l'air et un policier qui passe par là, voyant le chanteur pâle et titubant, n'hésite pas à passer outre sa mauvaise réputation de bouffeur de gendarmes en lui offrant sa pèlerine pour ne pas qu'il prenne froid. Sept ans plus tard, il chantera *L'épave,* ou l'occasion pour celui qui criait sans vergogne « Mort aux vaches ! » de réviser un tantinet son point de vue en évoquant ce flic bien singulier... Sa mère Elvira, si elle avait vécu jusque-là, en aurait été bien contente puisque elle-même ayant, pour les besoins d'une transfusion, reçu le sang d'un policier, l'adjurait d'être moins sévère avec les représentants de l'ordre sous le prétexte qu'il y avait « désormais, du sang de flic dans la famille » !

Les années soixante s'annoncent pour Georges Brassens sous des auspices contradictoires. Sa renommée et son statut de « classique » de la chanson française ne font que grandir et s'affirmer (le premier livre qui lui est consacré sort en 1960) ; il entreprend une tournée au Canada, sort son neuvième vingt-cinq centimètres en 1962 mais, la même année, sa mère meurt à Sète, sans jamais l'avoir vu sur scène. « Elle aimait *Au bois de mon cœur, La chasse aux papillons* ou *Le parapluie* mais mes gros mots ne lui plaisaient pas », expliquera-t-il. Paul Fort et Armand Robin, le poète du *Libertaire,* ont précédé de peu Mme Brassens dans la tombe. Deux semaines après l'enterrement, il doit se faire opérer des reins, après avoir subi une sévère alerte en plein Olympia. (Ce qui n'émouvra guère Bruno Coquatrix qui le forcera à remplir son contrat malgré tout, le faisant amener en ambulance de la clinique où il est tenu sous surveillance jusqu'à la salle de concert. Brassens s'en souviendra et préférera ensuite se produire à Bobino.)

En 1965, la série noire continue : c'est au tour de son père de disparaître puis, deux mois plus tard, au tour de Marcel Planche. Jeanne n'est guère plus en forme ; ayant déjà réchappé à une fracture du col du fémur et à un cancer du sein, elle attrape une congestion pulmonaire. Du côté du *métier*, en ce qui concerne Brassens, les rumeurs vont bon train : comme il apparaît amaigri, on le prétend atteint d'un mal incurable. Il réplique en 1966, sur la scène du TNP où il partage l'affiche avec Juliette Gréco, par un mémorable *Bulletin de santé* : « J'ai perdu mes bajoues, j'ai perdu ma bedaine / Et ce, d'une façon si nette, si soudaine / Qu'on me suppose un mal qui ne pardonne pas / Qu'on se rit d'Esculape et le laisse baba. » Le refrain est surprenant, avec son clin d'œil au poème de Mallarmé (« Je suis hanté ! L'Azur ! L'Azur ! L'Azur ! L'Azur ! ») : « Si j'ai trahi les gros, les joufflus, les obèses / C'est que je baise, que je baise, que je baise / Comme un bouc, un bélier, une bête, une brute / Je suis hanté : le rut, le rut, le rut, rut ! »

La cuvée TNP 66 est excellente : la magnifique *Non-demande en mariage* avec son délicat contre-chant à l'archet, *La fessée, Supplique pour être enterré à la plage de Sète, Le grand chêne, Le fantôme, Le pluriel.* Tous les thèmes majeurs de l'œuvre y sont concentrés, l'écriture, somptueusement dense et déliée, est arrivée à sa pleine maturité. La mort est l'un des sujets les plus abondamment traités par Georges Brassens. Lui qui ne rate jamais un enterrement regrette *Les funérailles d'antan* avec « Les petits corbillards / De nos grands-pères / Qui suivaient la route en cahotant » et « Les petits macchabées / Ronds et prospères », est hanté par la Camarde au point d'y faire de multiples allusions sur tous les tons — pathétique, comique, solennel, révolté, compatissant — dans beaucoup de ses chansons. Dans le truculent *Oncle Archibald,* le poète irrespectueux imagine « Sa Majesté la Mort » sous les traits séduisants d'une « femme de petite vertu / [qui] Arpentait le trottoir du / Cimetière / Aguichant les hommes en retroussant / Un peu plus haut qu'il n'est décent / Son suaire... ». Ce n'est d'ailleurs pas la dernière fois qu'il en appellera à la sensualité pour conjurer son angoisse : le procédé sera repris dans *Le fantôme* — fable digne du merveilleux film de Mankiewicz, *Le Fantôme de Madame Muir* — où le narrateur fait l'amour avec « un fantôme du beau sexe » avant de conclure avec sa nostalgie coutumière : « Eh bien, messieurs, qu'on se le dise / Ces belles dames de jadis / Sont de satanées polissonnes. » C'est à partir du *Testament* que Georges Brassens consacre à sa propre mort une chanson entière. « Est-il encor debout le chêne / Ou le sapin de mon cercueil ? » s'interroge-t-il avant de conclure : « On a marqué dessus ma porte : / Fermé pour cause d'enterrement / J'ai quitté la vie sans rancune / J'aurai plus jamais mal aux dents... » Quelques années plus tard, il ajoute un premier codicille à ce testament avec la célèbre *Supplique* : « Déférence gardée envers Paul Valéry / [...] Et qu'au moins si ses vers valent mieux que les miens / Mon cimetière soit plus marin que le sien. » Et un deuxième, en 1976, avec *Trompe la mort.*

Comme le thème de la mort, celui de l'amour, à force d'être exploré, au fil des chansons, dans ses moindres recoins, se pare de toutes les nuances et de toutes les finesses. Il y a la grâce et la légèreté de *J'ai rendez-vous avec vous, La chasse aux papillons, Je suis un voyou, Les amoureux des bancs publics, Dans l'eau de la claire fontaine,* la nostalgie et la délicatesse vraie qui vous vont droit au cœur de *La première fille, Les amours d'antan, Le vingt-deux septembre,* la malicieuse et délicate sensualité de *La fessée,* de *Vénus Callipyge,* du *Blason* ou la rabelaisienne paillardise de *Fernande,* digne d'une chanson de corps de garde. Avec *La non-demande en mariage,* profession de foi audacieuse pour 1966, Brassens retrouve aussi la tendresse avec laquelle il a écrit, quelques années auparavant, *Saturne,* chef-d'œuvre indépassable et un brin désespéré vantant la beauté des « fleurs d'automne ». La chute en est célèbre : « Je sais par cœur toutes tes grâces / Et, pour me les faire oublier / Il faudra que Saturne en fasse / Des tours d'horloge de sablier / Et la petite pisseuse d'en face / Peut bien aller se rhabiller. »

Même chose pour le thème récurrent de l'amitié (*Les copains d'abord,* l'un de ses plus grands succès, *Au bois de mon cœur, Chanson pour l'Auvergnat, Auprès de mon arbre*) ou de l'individualisme social et politique qui parcourt toute l'œuvre et qui trouve son point d'orgue dans *Le pluriel* : « Le pluriel ne vaut rien à l'homme et sitôt qu'on / Est plus de quatre on est une bande de cons / Bande à part, sacrebleu ! c'est ma règle et j'y tiens / Parmi les cris des loups on n'entend pas le mien. » Ou pour le thème religieux. Du « mécréant » qui s'écrie, irrévérencieux quoique sincère : « est-il en notre temps rien de plus odieux / De plus désespérant, que de ne pas croire en Dieu ? / Je voudrais avoir la foi, la foi de mon charbonnier / Qui est heureux comme un pape et con comme un panier » à *Tempête dans un bénitier* où Brassens le passéiste se plaît à regretter l'abandon de la messe en latin (« Ô très Sainte Marie mère de / Dieu, dites à ces putains / de moines qu'ils nous emmerdent / Sans le latin »), le ton change. À propos de Dieu, il dira d'ailleurs : « Mon poète préféré, c'est le Christ, en admettant que le Christ ait existé, évidemment, et qu'il ait écrit, qu'il ait inspiré l'Évangile, les Évangiles. [...] Si l'on trouve dans mes chansons, dans mes lignes, quelque chose de mystique, cela provient de ce que je me suis nourri de ce fameux poète. » Au fur et à mesure que s'écoulent sa vie et sa carrière, la pensée de Brassens devient aussi pure que l'eau d'un diamant et nimbée de mille facettes.

Chapitre 7

Supplique pour être enterré à la plage de Sète

En 1966, poussé hors de l'impasse Florimont par la belle inconstance de Jeanne, qui est partie à motocyclette en Bretagne consommer son voyage de noces avec son jeune mari, Georges Brassens se retrouve, presque malgré lui, dans une de ces résidences modernes et luxueuses qu'il abhorre, le Méridien, rue Émile-Dubois, toujours dans le quatorzième arrondissement. Il y fréquente Jacques Brel, un ami de longue date et son plus proche voisin. C'est ce dernier qui l'emmènera à l'hôpital, en février 1967, lorsqu'il est à nouveau atteint par une violente crise de coliques néphrétiques après une tournée qui l'a conduit en France, en Suisse et en Belgique. On doit lui extraire chirurgicalement le calcul qui le fait souffrir. La même année, en guise de cadeau de consolation, il reçoit le grand prix de poésie de l'Académie française.

La boutade est fameuse. Lorsqu'on demande à Georges Brassens ce qu'il fit en mai 1968, il répond : « Des coliques néphrétiques ! » On crut à un trait provocateur, ce n'était que la vérité. En réalité, s'il ne s'engage pas matériellement, conformément à son habitude (la seule entorse à cette règle tacite étant son engagement contre la peine de mort, qui le poussera à accepter un gala pour cette cause en 1972, aux côtés de Léo Ferré), la sympathie du poète va aux jeunes contestataires, bien sûr. « Au début, c'était une révolte sociale, pas une révolte politique ; c'est pour ça qu'elle était belle », affirme-t-il. Même si dans *Le boulevard du temps qui passe,* un boulevard qui ressemble fâcheusement au boulevard Saint-Michel, il raille de façon douce-amère « Tous ces gâteux, ces avachis / Ces pauvres sépulcres blanchis / Chancelant dans leur carapace / On les a vus, c'était hier / Qui descendaient jeunes et fiers / Le boulevard du temps qui passe ».

Un malheur vient de surcroît assombrir cette période : la mort de Jeanne, le 24 octobre, à l'âge de soixante-dix-sept ans, survenue pendant une opération de la vésicule biliaire. Brassens ne retourne cependant pas impasse Florimont, qui devient la propriété de Pierre Onteniente. Il préfère faire l'acquisition, en 1969, d'une charmante maison avec jardin où peuvent folâtrer ses deux chats, rue Santos-Dumont, dans le quinzième arrondissement. Un sous-sol lui permet de composer à l'orgue électrique ou d'écouter ses disques au volume sonore qui lui plaît (c'est-à-dire fort) sans déranger son voisinage. Une gouvernante surnommée « La Polonaise » s'occupe avec discrétion et célérité de son ménage. Voici l'environnement rêvé pour poursuivre dans le calme et la tranquillité son labeur. « Je suis un peu comme les chats, dira-t-il lors d'une interview à Luc Bérimont. Je suis assez sédentaire. Je n'aime pas beaucoup quitter la zone dite de sécurité comme tous les chats. Vous savez qu'ils ne peuvent pas dépasser une certaine zone au-delà de laquelle ils sont en danger. Comme j'ai l'habitude de vivre un peu replié sur moi-même [...], le voyage ne m'apporte pas grand-chose parce que je ne regarde pas tellement ce qui se passe autour de moi. » Pour sa rentrée à Bobino, une moisson de nouvelles chansons enchante son public qui lui réserve une ovation. *La religieuse* brosse gaillardement le portrait d'une nonne supposée perverse. « Il paraît qu'à loisir, elle se mire nue / De face, de profil, et même hélas ! de dos / Après avoir, sans gêne, accroché sa tenue / Aux branches de la croix comme au portemanteau / Chez les enfants de chœur le malin s'insinue... » *Bécassine, Sale petit bonhomme, La rose, la bouteille et la poignée de mains* ou *L'ancêtre* sont également acclamés... La même année, certains de ses textes figurent au concours d'entrée de l'École normale : Brassens n'est plus seulement un *classique* ou une institution, c'est un monument.

L'année 1970 le voit encore sur scène : la Mutualité en mars, puis une tournée française et belge. Le poil blanchi, la moustache un peu tombante, Georges fête son cinquantième anniversaire en 1971, auprès de ses amis : Juliette Gréco, Raymond Devos, René Fallet, Louis Nucéra. Toujours absorbé par son travail, il ne s'octroie que quelques escapades en Bretagne, dans les Côtes-du-Nord, où il fréquente le neveu de Jeanne, originaire de la région. Il cherche à y acheter une maison. Il la déniche en 1973, à Lézardrieux, où il se rend au volant de sa voiture, Püppchen à ses côtés, patientant dans les embouteillages comme tout un chacun. Entre-temps, en 1972, il est resté trois mois entiers à Bobino, donnant sa chance à une bande de jeunes (et moins jeunes) auteurs-compositeurs-interprètes qui se partagent ses premières parties, une généreuse habitude à laquelle il se soumettra toute sa vie. Il y a là Pierre Louki, Philippe Chatel, Yves Simon, Henri Tachan et un certain Maxime Le Forestier... Le bienfaiteur a plutôt du flair et du goût. En 1972, à son âge ! il a aussi provoqué un miniscandale. Sa chanson *Mourir pour des idées* n'est pas au goût de tout le monde, en particulier des jeunes révolutionnaires chevelus des événements de mai qui s'étaient trouvé en Brassens un tonton Georges plutôt bienveillant à leur égard. « Des idées réclamant le fameux sacrifice / Les sectes de tous poils en offrent des séquelles / Et la question se pose aux victimes novices : / Mourir pour des idées, c'est bien beau, mais lesquelles ? » s'interroge-t-il avec pessimisme.

Loin des bruits de Paris, en Bretagne, dans sa maison en granite qu'il a rénovée en bon fils de maçon, Georges se « bretonnise ». Levé à cinq heures du matin, il fait l'ouverture, pipe au bec, d'un café-tabac de Paimpol où il discute avec les clients et les piliers de bar comme n'importe quel vacancier. On est loin de « Dans un coin pourri / Du pauvre Paris / Sur une place / L'est un vieux bistrot / Tenu par un gros / Dégueulasse ». Mais pour la première fois, le reclus se mêle aux quidams avec un plaisir non dissimulé. De retour chez lui, quand il reçoit des amis, il leur fait savourer ses *spécialités* : pâté Hénaff, conserves Saupiquet, soupe Royco dont il s'est entiché ! Expert en nourritures spirituelles, Brassens n'est pas vraiment connaisseur en nourritures terrestres...

En 1973, le voici qui entame une nouvelle tournée en France et en Belgique ; ce sera sa dernière. Sur scène, voilà déjà longtemps que l'ancien ours mal léché, rétif à toute exhibition, a pris goût aux marques de sympathie de son public. Il lui arrive de continuer ses rappels même s'il ne reste plus que quatre spectateurs pour applaudir, par peur, dit-il, de les décevoir... Il se rend aussi, fait extraordinaire, à Cardiff, au pays de Galles, lui qui est régulièrement convié à aller discuter avec les étudiants des universités américaines et qui s'y est toujours refusé, par nonchalance et par dégoût des voyages, sur les demandes répétées d'un professeur de français nommé Colin Evans. Il se produit à l'University's Sherman Theatre de Cardiff à deux reprises et un trente centimètres *live* sort l'année suivante, sobrement intitulé *Brassens in Great Britain.* Cette brève idylle avec l'Angleterre le convainc de se lancer par plaisir dans l'apprentissage de la langue de Shakespeare.

Mais pour l'heure, des crises de coliques néphrétiques de plus en plus violentes l'ont décidé à suspendre ses tournées. En 1975, il reçoit le Grand Prix de la Ville de Paris et l'année suivante, sort, il ne le sait pas encore, ce qui sera son ultime album, le douzième. « C'est pas demain la veille, bon Dieu ! / De mes adieux », entonne-t-il en guise d'ouverture dans *Trompe la mort.* « Et si jamais au cimetière / Un de ces quatre, on porte en terre / Me ressemblant à s'y tromper / Un genre de macchabée / N'allez pas noyer le souffleur / En lâchant la bonde à vos pleurs / Ce sera rien que comédie / Que fausse sortie. » Nous voilà prévenus. Le reste du trente-trois tours comprend sa moisson habituelle de délices brassensiens comme *Les Ricochets,* qui évoque son arrivée à Paris presque quarante ans plus tôt : « Ce n'est qu'un jeune sot / Qui monte à l'assaut /Du petit Montparnasse / On s'étonnera pas / Si mes premiers pas / Tout droit me menèrent / Au pont Mirabeau /

Pour un coup de chapeau / À l'Apollinaire. » Le morceau le plus surprenant du disque étant *Don Juan* (et la vraie faute de goût, *Les casseuses,* mais passons). « Gloire à qui freine à mort de peur d'écrabouiller / Le hérisson perdu, le crapaud fourvoyé ! / Et gloire à Don Juan, d'avoir un jour souri / À celle à qui les autres n'attachaient aucun prix / Cette fille est trop vilaine, il me la faut. » Il monte une dernière fois sur les planches, et c'est un triomphe. Pendant cinq mois, du 19 octobre 1976 au 20 mars 1977, il remplit Bobino à guichets fermés et pulvérise tous les records d'entrées. Il sortira de cette épreuve heureux mais vidé, affaibli par un mal plus insidieux encore que les terribles crises qui le terrassent régulièrement. En 1979, il incarne *Le hérisson* pour le conte musical de Philippe Chatel destiné aux enfants, *Émilie Jolie.* Un rôle qui lui va comme un gant, lui qui toute sa vie préférera vivre en solitaire et se protéger derrière ses piquants plutôt que de se frotter aux autres. Il enregistre aussi, la même année, un double album instrumental de ses musiques revisitées jazz avec son ami Moustache et les Petits Français. Il réalise ainsi un vieux rêve, celui de n'être qu'un musicien comme un autre perdu au milieu d'un grand orchestre. En 1980, il enregistrera *Les chansons de sa jeunesse* au profit de l'association Perce-Neige de Lino Ventura, soit vingt-sept titres, assortis de commentaires pris sur le vif, que lui chantait sa maman. D'*Avoir un bon copain* à *Verlaine*, en passant par *Boum*, *Le refrain des chevaux de bois*, ou *Le petit chemin,* l'exercice est savoureux et émouvant.

En novembre, Brassens subit une nouvelle opération chirurgicale. Amaigri, flottant dans ses vêtements, l'ancien colosse que ses amis appelaient le Gros et qu'ils surnomment désormais le Vieux se sait condamné par un cancer, même s'il ne l'a dit à personne, pas même à ses proches. Il a des périodes de rémission pendant lesquelles il reprend espoir, mais le mal progresse. À l'été 1981, il enregistre une émission à Sète et, de retour à Paris, voit son état empirer. Il est obligé de garder le lit, relisant ses auteurs préférés, s'exerçant encore, avec son sens de la dérision coutumier, à plaisanter : « Vous savez qu'avant de mourir, je vais encore attraper la peste, le choléra morbus, sans préjudice des compères-loriots, abcès dentaires et otites qui peuvent encore me tomber dessus. » Il décide alors de se rendre au domicile de son médecin, le docteur Bousquet, à Saint-Gély-du-Fesq, entre Sète et Montpellier. « Pour ne pas déranger les gens », il y mourra, le 29 octobre 1981, à vingt-trois heures quinze, à l'âge de soixante ans. Sète-Paris, Paris-Sète, la boucle est bouclée, entre ces deux destinations, toute une vie de voyage immobile. « Heureux qui comme Ulysse / A fait un beau voyage / Heureux qui comme Ulysse / A vu cent paysages / Et puis a retrouvé après / Maintes traversées / Le pays des vertes années. »

Épilogue

Dans son ouvrage *Psychanalyse de la chanson* (aux Belles Lettres), Philippe Grimbert tente d'analyser la raison pour laquelle le goût de la chanson est ancré si fort en chacun d'entre nous. Et le psychanalyste de parvenir à la conclusion que les voix parentales sont les premières manifestations de *l'autre* perçues par le fœtus au sein de la bulle maternelle. L'apprentissage de l'enfant est ensuite fait en chantonnant. C'est en fredonnant des comptines qu'on lui enseigne les lettres de l'alphabet ou la table de multiplication, d'où notre nostalgie inassouvie et archaïque pour toute forme de refrain.

Voix de basse, voix enracinée, voix chuintante, voix rocailleuse, voix pleine de pudeur, la voix de Brassens le taciturne nous rappelait sans doute inconsciemment celle du père, celui qui, le premier, nous prit dans ses bras et essuya secrètement les larmes d'émotion qui lui coulaient sur la moustache. Le jour où cette voix s'est tue, nous avons tous pleuré sur nous-mêmes, sur cette relation forcément ratée — faite de non-dits, d'absences, de demi-sourires contrits, d'étreintes ébauchées, d'élans retenus — qui nous lia un jour au *premier homme*. Et curieusement, nombreux furent les amis de Georges qui regrettèrent de n'avoir pas osé déranger davantage sa solitude, forcé sa pudeur ou bousculé un peu leur propre (et encombrant) respect pour celui qui fut, malgré lui, sacré poète, et un peu *père* virtuel de l'inconscient collectif français.

Le jour où cette voix s'est tue, d'autres voix se sont élevées à travers le monde. Célébré (plus ou moins confidentiellement) dans des dizaines de pays, le chanteur disparu a passé le relais à ses interprètes. Auteur-compositeur francophone parmi les plus repris par des chanteurs de tous horizons, il symbolisait une certaine idée de son pays, le Français libertaire, individualiste, bourru mais bon, généreux, fidèle en amitié, romantique en amour. Paco Ibanez sortit un album de ses chansons en espagnol qui connut un certain succès en France. Il existe également des traductions en allemand, en anglais, en italien, catalan, corse, hébreu, finnois, russe, portugais, néerlandais, tchèque, wallon, suédois, polonais, créole, etc. Une internationale de fans de Brassens s'est donc constituée, ce qui peut donner l'envie à bien des esprits pusillanimes de voyager !

Égoïstement, le Brassens que l'on préfère, c'est le nôtre. Celui qu'on entendait chanter sur le tourne-disque des parents sans qu'aucune chanson, jamais, brise notre mur d'indifférence ou d'agacement, jusqu'à ce qu'un jour, peut-être plus gris que les autres, on entende cette musique, qui est sienne, ces mots, écrits par un autre (Antoine Pol), et chantés par Francis Cabrel : « Mais si l'on a manqué sa vie / On songe, avec un peu d'envie / À tous ces bonheurs entrevus / Aux cœurs qui doivent vous attendre / Aux baisers qu'on n'osa pas prendre / Aux yeux qu'on n'a jamais revus / Alors, aux soirs de lassitude / Tout en peuplant sa solitude / Des fantômes du souvenir / On pleure les lèvres absentes / De toutes les belles passantes / Qu'on n'a pas su retenir. » Et qu'on en arrive, par ce biais détourné, touché au cœur, à dévorer l'œuvre avec joie des centaines et des centaines de fois. Car Brassens est toujours vivant pour ceux qui l'écoutent. « Et si jamais au cimetière / Un de ces quatre, on porte en terre / Me ressemblant à s'y tromper / Un genre de macchabée / N'allez pas noyer le souffleur / En lâchant la bonde à vos pleurs / Ce sera rien que comédie / Rien que fausse sortie / Et puis, coup de théâtre, quand / Le temps aura levé le camp / Estimant que la farce est jouée / Moi tout heureux, tout enjoué / Je m'exhumerai du caveau / Pour saluer sous les bravos / C'est pas demain la veille, bon Dieu ! / De mes adieux ».

Annexes

Paroles de Brassens

La chanson

« J'aime beaucoup Charles Trenet. L'une de mes idoles d'avant guerre était Ray Ventura. Et Lys Gauty. En fait, j'aime tout dans la chanson. Quand une chanson me plaît, peu m'importe l'auteur, le chanteur ou le producteur. Je ne peux pas vous expliquer pourquoi j'aime Tino Rossi. Allez savoir ! Je crois qu'avec la voix de Tino Rossi, j'émets des ondes... »

Les chansons

« Une chanson est bonne quand elle convient au goût du public. Que ce goût soit discutable ou pas, parce qu'il y a quand même des gens qui aiment le caviar et d'autres qui préfèrent les boîtes de sardines en conserve. Et c'est mon cas. Bref, il y a des gens qui aiment Brassens, et d'autres qui aiment Sheila ou Claude François. Ça peut éventuellement être les mêmes. Pourquoi est-ce que j'aime Tino Rossi ? Pourquoi est-ce que je peux vous chanter certaines chansons de Claude François ? Simplement parce que ça me plaît ! Alors si la qualité du texte paraît plus discutable que la qualité des textes de Mallarmé ou de Valéry, je m'en fous. »

Le travail

« Il me faut un an pour préparer un tour de chant. Il me faut un mois pour mettre une chanson au point, enlever les bavures, trouver l'accompagnement adéquat. Mais quand je dis un mois... je fais une vingtaine de chansons à la fois. Et quand je sèche sur une, j'en attaque une autre. Il y a des œuvres où on n'y entre pas comme dans un moulin. A la première audition, ça plaît. Puis je les polie, je les améliore, je les rends d'un abord un peu plus difficile. »

La guitare

« Mes partitions sont extrêmement vicieuses ! Tous les musiciens de métier vous le diront — des types qui sont de meilleurs musiciens que moi : c'est extrêmement difficile de chanter sur un accompagnement qui n'est pas "gling, gling, gling", contrairement à la légende. Une partie de ma mémoire et de mon attention est consacrée au manche de ma guitare. Et ce que je consacre au manche, je l'enlève au texte. C'est quand même plus facile de chanter les mains dans les poches. Maintenant, j'ai maigri, mais quand je faisais cent kilos... deux heures sur une patte, c'était plus fatigant que huit heures de terrassement. »

Les cons

« Parce que je parle dans ma moustache, on a pensé que je traitais les gens de cons. Ça n'est pas vrai. Une fois à mes débuts, il y a vingt ans, dans un cabaret, j'ai traité des spectateurs de cons. Les journalistes s'en sont emparés et la légende est partie là-dessus. Entre mes chansons, je me dis : "Merde, tu chantes pas très juste." Je me parle comme ça, et comme je bougonne un petit peu, les gens ont entendu le mot *con*. Si je dis : “Mes aigus ne sont pas nets”, il y a quelqu’un pour entendre : “Vous êtes tous des voyous.” Si je prenais les gens pour des cons, je ne prendrais pas la peine de faire des chansons comme je les fais. »

La timidité

« Le public, qui vous apporte beaucoup, vous enlève aussi beaucoup. Il ne vous fout pas la trouille, mais enfin vous vous foutez un peu à poil devant lui, et j’ai quand même un peu horreur de ça. Je suis le contraire du type qui est fait pour s’exhiber. C’est paradoxal... Un type qui n’aime pas trop raconter ses histoires, et qui va les raconter à tous. Car dans mes chansons, je suis dedans tout entier. Je crois que je ne suis pas le seul. Jean Gabin était très timide, ce qui lui a valu cette réputation d’ours. Mais c’était un homme charmant. »

L’Auvergnat

« Il y a plein de gens qui m’aiment bien parce que j’ai fait *L’Auvergnat*. Je ne les rejette pas mais ils ne connaissent que ça de moi, ou *Les sabots d’Hélène*. Moi, j’estime que Brassens, si on l’aime, il faut le prendre tout entier. Maintenant, si on ne le prend pas tout entier, ça n’a pas d’importance. Je m’en fous. J’ai assez d’amis comme ça, je n’en veux pas plus. »

Fernande

« J’aime beaucoup les chansons d’étudiants, de salle de garde. Moi, on me conteste quand je chante “quand je vois Fernande je bande”, mais à la télé on voit des filles qui font des pipes à des mecs, pas complètement, mais pas loin... “Quand je pense à Fernande je bande”, c’est une bluette à côté.

Je me demande si les enfants ne savent pas ce que c'est de bander. On peut remarquer que le mot *enculé* n'est jamais employé, et que je le connaissais à six ans. Ce n'est pas moi qui vais apprendre ça aux enfants. Alors, il faut savoir de quoi on parle ! Vraiment, les mots font peur alors qu'ils sont anodins dans "Fernande je bande". C'est une blague, en plus... »

Le western

« J'aime beaucoup les westerns et les films de gangsters. Comme tous les mecs, d'ailleurs... C'est les filles qui aiment les histoires d'amour. Les mecs préfèrent les vivre que les voir. Enfin, il y a peut-être des exceptions... J'aime aussi les films musicaux. Les films avec Fred Astaire, vous pouvez me les filer tous ! Avec les musiques de Cole Porter, de Gershwin. Je suis capable de regarder un film dans lequel joue Louis Armstrong pendant deux heures. »

Le rock

« J'ai été un des rares à ne pas dire de conneries quand le rock est arrivé en France. Quand j'écoutais Elvis Presley, certaines personnes de mon entourage qui ne l'aimaient pas n'étaient pas fières. On peut s'étonner quand je dis que j'aime Elvis Presley, mais je l'aimais déjà en 1958, alors qu'il n'était pas connu. »

Discographie

La mauvaise réputation *(Mercury-Philips 8362892)*
Vingt-quatre titres, autant de classiques (une remarque qui revient souvent, lorsqu'on passe l'œuvre en revue), puisés parmi les trois premiers vingt-cinq centimètres de Georges Brassens, dont le premier est sorti en 1953. On y embrasse d'emblée ses différentes facettes. Contestataire avec *Le gorille* et sa chute « scandaleuse » : « Car le juge, au moment suprême / Criait « Maman ! », pleurait beaucoup / Comme l'homme auquel, le jour même / Il avait fait trancher le cou », il sait se montrer bucolique et romantique dans *Il suffit de passer le pont* ou *Le parapluie* (où l'influence de Trenet se fait sentir). Sentimental dans *L'Auvergnat*, il est franchement gaillard avec *Le nombril des femmes d'agents de police* au parfum surréaliste. Quand il le faut, il sait aussi jouer les semeurs de poésie, lui qui sut si bien populariser *Le petit cheval* ou *La marine* de Paul Fort, *Il n'y a pas d'amour heureux* d'Aragon, et *Ballade des dames du temps jadis* de François Villon.

Auprès de mon arbre *(Mercury-Philips 836 290-2)*
Deux textes de Victor Hugo, un poème de Verlaine, un autre de Francis Jammes : là encore, Brassens sait trouver des mélodies simples en apparence et frappantes pour habiller les poésies qu'il affectionne. Écrite après l'aventure avec la cruelle « petite Jo », *Une jolie fleur (dans une peau d'vache)* ouvre le CD sur une note primesautière, *Celui qui a mal tourné* le ferme sur un merveilleux quatrain : « Lors, j'ai vu qu'il restait encor / Du monde et du beau monde sur terre / Et j'ai pleuré, le cul par terre / Toutes les larmes de mon corps. » Entre les deux, que des indispensables ou presque, *Auprès*

de mon arbre, Le testament, Je me suis fait tout petit, le drolatique *Oncle Archibald,* la très mélodramatique *Marche nuptiale* (avec son « La foule nous couvait d'un œil protubérant » qui peut vous faire facilement un après-midi) ou *Au bois de mon cœur...*

Le pornographe *(Mercury-Philips 836 291-2)*
La vingtaine de titres habituels comportant en guise d'entrée le fameux duo avec Patachou *Maman, papa* que la chanteuse fit raccourcir de plusieurs couplets pour que son format soit adaptable aux radios. En plat de résistance : *Le père Noël et la petite fille* est un conte de fées moderne et grinçant (il faut aussi l'avoir entendu chanter par Barbara) ; *Comme une sœur* ressemble à une comptine enfantine avec son vers redoublé « Comme une sœur, tête coupée, tête coupée / Elle ressemblait à sa poupée, à sa poupée » ; *Le bistrot,* brossé d'une plume pittoresque, met en scène un de ces coins du vieux Paris populaire qu'affectionnait Brassens ; le mélancolique et mélodieux *Pénélope* est charmant. Pour le dessert, on appréciera la belle cadence moyenâgeuse du *Verger du roi Louis*, un poème de Théodore de Banville.

Les copains d'abord *(Mercury-Philips 836 292-2)*
Dans la famille imaginaire de Brassens, *Tonton Nestor* occupe une place moins enviable qu'*Oncle Archibald* pour cause de chanson mineure. On s'en contentera pourtant en guise d'apéritif, puisque suivent le ravissant *Dans l'eau de la claire fontaine,* le charmant *Je rejoindrai ma belle,* l'agréable *Si le Bon Dieu l'avait voulu* (un nouveau poème de Paul Fort, ce CD en comporte d'ailleurs trois autres) et des pièces de choix comme *La complainte des filles de joie, Le temps ne fait rien à l'affaire* (« Quand on est con, on est con »), *les Trompettes de la renommée* pleines d'humour (parfois un peu daté, *cf.* le septième couplet « le crime pédérastique aujourd'hui ne paie plus »), l'austère *Jeanne,* l'émouvant *Amours d'antan,* le saisissant *Assassinat* ou encore *Le petit joueur de flûteau* (sans parler du célèbre *Les copains d'abord*).

Supplique pour être enterré à la plage de Sète *(Mercury-Philips 836293-2)*
Quatorze titres seulement, mais parmi les plus importants de l'œuvre. Deux chansons peu ou prou sur le même sujet : la guerre (*Les deux oncles* et *La tondue*). Un ex-chagrin d'amour (« Un vingt-deux septembre au diable vous partîtes / Et depuis, chaque année, à la date susdite / Je mouillais mon mouchoir en souvenir de vous / Or, nous y revoilà, mais je reste de pierre / Plus une seule larme à me mettre aux paupières / Le vingt-deux septembre, aujourd'hui, je m'en fous. »). Une ode sinueuse aux courbes féminines (*Vénus callipyge*). Une superbe adresse à la femme qu'on aime toujours (*Saturne*). Une *Supplique pour être enterré à la plage de Sète* écrite à une époque où il était cerné par les enterrements de parents et d'amis. Un amusant *Fantôme*. Une vicieuse *Fessée*. Une profession de foi (« Le pluriel ne vaut rien à l'homme et sitôt qu'on / Est plus de quatre on est une bande de cons. »). Un souvenir de jeunesse traumatisant (*Les quatre bacheliers*). Le ton a changé, s'est fait plus grave, l'écriture est plus ample.

La non-demande en mariage *(Mercury-Philips 836294-2)*
Un choix de quatorze titres encore, qui débute par *La non-demande en mariage* (« J'ai l'honneur de / Ne pas te de- / mander ta main / Ne gravons pas / nos noms au bas / d'un parchemin. »), se poursuit par l'irrésistible *Grand chêne* (une parabole sur l'amitié et la confiance trahies), le facétieux *Concurrence déloyale* (« De la bouche au pauvre tapin / Elles retirent le morceau de pain / C'est dégueulasse. ») auquel font écho *Misogynie à part* et sa fameuse distinction entre « les emmerdantes, les emmerdeuses et les emmerderesses ». Citons aussi le bel aveu du *Moyenâgeux* (« Ah ! Que n'ai-je vécu, bon sang ! / Entre quatorze et quinze cent »), le surprenant portrait de *Bécassine* (encore une manière, après *Les sabots d'Hélène*, de rendre justice à une héroïne populaire) et celui, irrespectueux, de *La Religieuse*. Ajoutons, pour faire bon poids, un poème de Lamartine et un autre de Jean Richepin : voici, encore une fois, un CD que l'amateur de Brassens se doit d'avoir dans sa collection.

Mourir pour des idées *(Mercury-Philips 836295-2)*
Au risque de se répéter, précisons qu'on ne saurait se passer non plus de ce CD-là ! Anecdotique et méconnue, *Heureux qui comme Ulysse*, chanson du film du même nom, signée Henri Colpi et Georges Delerue, est joliment interprétée par Brassens. Glissons sur le pas très raffiné *Fernande,* pourtant l'un de ses plus grands succès, et attachons-nous plutôt aux envoûtantes *Stances à un cambrioleur* avec le contre-chant de Pierre Nicolas à l'archet. *La ballade des gens qui sont nés quelque part* est également une réussite, comme le très émouvant et jazzy *La princesse et le croque-notes* ou le subtil et médiéval *Blason*. Quant à Gustave Nadaud, Musset et Antoine Pol, à leur tour d'être célébrés musicalement par Brassens ou Jacques Yvart.

Tempête dans un bénitier *(Mercury-Philips 836296-2)*
Dernier album sorti du vivant du poète, *Tempête dans un bénitier* s'ouvre sur *Trompe la mort* qu'on l'imagine interpréter avec un sourire triste. Vient ensuite le nostalgique *Ricochets* qui retrace ses débuts lorsqu'il *descendit* à Paris (à Sète, on ne *monte* pas à Paris mais on y *descend*), *Tempête sur un bénitier* qui regrette le cérémonial de la messe en latin, et *Boulevard du temps qui passe.* On aimera tout particulièrement l'ambigu *Don Juan* et le délicieux *Cupidon s'en fout.* Ce CD comporte aussi un titre rare, *Élégie à un rat de cave,* seule chanson inédite d'un album instrumental enregistré en 1979 avec l'orchestre de jazz Moustache et les Petits Français (avec Brassens à la guitare).

Dernières chansons de Brassens par Jean Bertola *(Mercury-Philips 836297-2)*
Dix-sept titres écrits sur des cahiers d'écolier et que Brassens s'apprêtait à enregistrer, avant que la Camarde ne le fauche. C'est son complice Jean Bertola qui reprit le flambeau et se chargea de l'interprétation. La magie n'est pas au rendez-vous, même si les orchestrations sont plus riches que d'habitude (outre Pierre Nicolas et Joël Favreau, Maurice Vander est au piano, Christian Garros à la batterie et Gérard Niobé à la guitare) mais on saura gré à l'ami de toujours de nous avoir fait connaître la magnifique *Visite* (« On n'était pas

des Barbe-Bleue / Ni des pelés, ni des galeux / Porteurs de parasites. / On n'était pas des spadassins / On venait du pays voisin / On venait en visite »), *Entre la rue Didot et la rue de Vanves* ou *Quand les cons sont braves.*

Le patrimoine de Brassens interprété par Jean Bertola *(Mercury-Philips 836298-2)*
Cette fois, c'est de douze chansons inachevées qu'il s'agit. Bertola a eu la lourde tâche d'imaginer des musiques inédites pour certaines paroles ou de marier des musiques « indépendantes » à certains autres textes. On écoutera avec profit *L'Antéchrist* (« Bien sûr, il est normal que la foule révère / Ce héros qui jadis partit pour aller faire / L'alpiniste avant l'heure en haut du Golgotha »), *La Légion d'honneur, Honte à qui peut chanter* ou *Jeanne Martin.*

Georges Brassens TNP *(Mercury-Philips 534149-2)*
En 1966, on craint pour l'état de santé du chanteur qui souffre de très graves coliques néphrétiques. Une dépêche de l'AFP annonce même, au conditionnel, sa mort. Et Brassens de commenter benoîtement : « C'est très exagéré. » *Live* inespéré (son enregistrement ne fut découvert que récemment), « Brassens au TNP » témoigne superbement de l'exigence du poète à l'égard de son public. Onze chansons sont inédites (*La non-demande en mariage, La fessée, Supplique pour être enterré à la plage de Sète*) et d'un ton très littéraire, les autres ne font pas partie des œuvres les plus connues (*Saturne, Les quat'z'arts)*. Il reste que ce concert est des plus passionnants.

Georges Brassens in Great Britain *(Mercury-Philips)*
Enregistré à Cardiff le 28 octobre 1973, ce *live* contient des incontournables comme *Les sabots d'Hélène, Auprès de mon arbre, Hécatombe, Saturne, Bonhomme, Le gorille, La mauvaise réputation, Chanson pour l'Auvergnat, Les copains d'abord,* et six titres supplémentaires à la version originale qui sortit en octobre 1974.

Georges Brassens chante les chansons de sa jeunesse *(Mercury-Philips 848930-2)*
En 1980, Georges Brassens enregistre pour Radio Monte-Carlo et au profit de l'Association Perce-Neige de son ami Lino Ventura, vingt-sept chansons qui bercèrent sa jeunesse, d'*Avoir un bon copain* à *L'amour est passé près de vous*. Mireille, Ray Ventura, Jean Boyer, Van Parys, Jean Tranchant, Vincent Scotto : c'est pour lui l'occasion de rendre hommage à tous ces interprètes et auteurs-compositeurs du passé et de ressusciter le plaisir qu'il prenait à écouter sa mère les chanter. Un CD touchant et plein de vie qui comporte, en bonus, trois chansons reprises en espagnol par Brassens et qui sonnent bien : *La mala reputacion, La pata de Juana* (assortie d'un commentaire spontané de l'artiste : « Si tu me fais chier, je te le laisse pas faire et je le fais ! ») et *El Testamento !*

Georges Brassens, l'Intégrale *(Mercury-Philips 836 309-2)*
Que demander de plus ?

Hommages

Barbara chante Brassens et Brel *(Mercury-Philips, volume 2 de l'Intégrale 510 899-2)*
Celui pour qui l'univers de Brassens semble trop monolithique et son interprétation trop monotone devrait se procurer ce CD toutes affaires cessantes (à moins qu'il ne soit allergique au style très particulier de Barbara, mais alors, dans ce cas, nous conseillons l'achat du *Maxime Le Forestier chante Brassens*). Car ces huit chansons extraites, à l'origine, d'un vingt-cinq centimètres sorti en 1960, et simplement accompagnées au piano par l'artiste elle-même et à la guitare par Elek Bacsik, font ressortir toutes les nuances que la pudeur de Brassens gomme habituellement. C'est ainsi que toute la dramaturgie contenue dans *La marche nuptiale* éclate au grand jour, que l'ambiguïté de *La petite fille et le père Noël,* la souffrance de *Pauvre Martin,* la douce ironie de *Pénélope,* le désespoir de *Il n'y a pas d'amour heureux,* ou l'humour de *La femme d'Hector* se laissent mieux percevoir par l'oreille du néophyte. Pour une première approche, un indispensable achat.

Chantons Brassens sur les orchestrations de Joël Favreau
2 CD (Flarenasch-Musidisc MU 768 182042)
Françoise Hardy, Alain Souchon, Pierre Richard, Manu Dibango : rien que du beau linge pour rendre au poète disparu un hommage insolite, dont Joël Favreau, le dernier guitariste de Brassens, est le maître d'œuvre. On remarquera les éructations sinistres mais bien dans la note de Philippe Léotard crachant *Saturne, Je me suis fait tout petit,* chanté jazzy par Michel Fugain, une plaisante *Complainte des filles de joie* due à Josiane Balasko, qui pousse la goualante avec conviction, un touchant *Celui qui a mal tourné* par Renaud et surtout — la plus belle réussite de l'album — *Les passantes*, interprétée par un Francis Cabrel plus « cabrelisant » que nature. Sur le deuxième CD, on peut faire un karaoké entre amis en fredonnant sur les musiques arrangées par Favreau !

Renaud chante Brassens *(Virgin 840702)*
Enregistré à la maison, chez Renaud, dans le quatorzième arrondissement, et joué sur la propre guitare Favino de Brassens prêtée par Gibraltar, cet album a le mérite de la sobriété et de la sincérité. Le chanteur énervant y passe en revue ses chansons préférées, de *Je suis un voyou*, à *La femme d'Hector*, en passant par *Le père Noël et la petite fille*, ou *Hécatombe*. Un CD qui contente certainement davantage les fans de Renaud que ceux de Brassens.

Maxime Le Forestier, 12 nouvelles de Brassens (petits bonheurs posthumes) *(Polydor 533438-2)*
L'auteur-compositeur-interprète a pioché dans les deux CD mis en forme et en musique par Jean Bertola parus après la mort de Brassens. Douze petits bijoux (*La maîtresse d'école, L'orphelin*), à savourer avec le cœur.

Maxime Le Forestier, Le Cahier. 40 chansons de Brassens en public *(Coïncidences/Polydor 557 360-2)*
C'est toujours du Brassens, mais c'est surtout du Maxime Le Forestier. Avec une passion communicative et un vrai talent d'interprète, l'auteur de *Né quelque part* donne ses propres versions de quarante

chansons de Brassens, chantées sur scène durant huit soirées mémorables de janvier 1998. Un travail remarquable, accompli avec sobriété et intelligence.

Une curiosité

My Own Road, A Tribute To Georges Brassens *(EMI)*
Parmi les très nombreux hommages rendus à Georges Brassens, citons cet étonnant projet américain sorti en 1998, qui réunit pêle-mêle (et en anglais !) une version hard-rock de *La mauvaise réputation*, par le groupe Slaughter, un *Je vous salue Marie* revu et corrigé par Jefferson Starship, *Je me suis fait tout petit* version reggae par Black Uhuru et un rap sur *Gare au gorille* signé Young MC. Un ensemble pas toujours très heureux, mais surprenant !

Bibliographie

Livres écrits par Georges Brassens

A la venvole, *Éd. Albert Messein, 1942.*

La lune écoute aux portes *(à compte d'auteur), 1947.*

La mauvaise réputation *(poèmes et chansons), réédition avec des dessins de Blachon, Denoël, 1983.*

La tour des miracles, *Jeunes Auteurs Réunis, réédition Stock, 1968 et 1990.*

Poèmes et chansons, *Éditions Musicales 57, réédition 1987.*

Ouvrages sur Georges Brassens

Georges Brassens, *de Alphonse Bonnafé, collection Poètes Aujourd'hui n° 99, Seghers, 1963 ; réédité chez le même éditeur dans la collection Le Club des Stars en livre compact, avec un tome 2 signé Lucien Rioux, 1988.*

Brassens, *de René Fallet, Denoël, 1967.*

Brassens ou la mauvaise herbe, *de André Larue, Fayard, 1970.*

Un témoignage précieux sur l'époque du STO et des années de bohème.

Le vocabulaire de Georges Brassens *(2 tomes), de Linda Hantrais, Klincksieck, 1976.*

Une véritable exégèse qui passionnera les amateurs.

Brassens, *de Philippe Chatel, réédition aux éd. du Cherche-Midi, 1980.*

Préfacé par Louis Nucéra, un ouvrage composé d'entretiens et de brèves séquences pittoresques par l'un des *filleuls* de Brassens.

Georges Brassens, la marguerite et le chrysanthème, *de Pierre Berruer, Presses de la Cité, 1981.*

Un ton complice un peu démodé, mais quelques anecdotes savoureuses.

Brassens, *de Nicole Ligney et Cécile Abdesselam, Bréa, 1981.*

Brassens, le livre du souvenir, *de Pierre Barlatier et Martin Monestier, Tchou, 1982.*

Brassens auprès de son arbre, *André Tillieu, Julliard, 1983.*

Cet ancien cheminot belge est un fan des plus minutieux. Et son livre est un des ouvrages les plus attachants qui soient sur le sujet.

Brassens, *de Jean-Paul Sermonte, Séguier, 1988,*

Édition augmentée : *Brassens, le prince et le croque-notes,* Le Rocher, 1990.

Brassens, *de Marc Robine et Thierry Séchan, Fixot, 1991.*

Très documenté et « dépoussiéré », la vie de Brassens par deux journalistes sans complaisance.

Brassens ou la chanson d'abord, *de Jacques Vassal, Albin Michel, 1991.*

Une véritable enquête journalistique menée auprès de dizaines de témoins doublée d'une analyse très fine de la manière d'écrire et de composer de Brassens. Un livre dont s'est largement inspiré l'auteur du présent ouvrage.

Hors série Télérama, *1991.*

Un dossier très complet.

Chorus, *n° 17, 1996.*

Pour une approche parfaite du personnage.

Sites internet

http://assoc.wanadoo.Fr/adsa/
Le site de l'association Auprès de son arbre, tout entier dédié au souvenir de Brassens et des artistes qu'il inspire encore aujourd'hui. Une mine d'informations pour tous les fans.

http://www.3cm.com/brassens/
Les textes des chansons de Brassens.

Remerciements

Ce livre est dédié à la mémoire de Pierre Barlatier, mon parrain et auteur de *Brassens, le livre du souvenir*.

Merci à Jean-Yves Billet (Polygram) pour son aide précieuse.

À Emmanuelle Buffard (Polygram) pour ses judicieux conseils, son assistance et sa gentillesse jamais prise en défaut.

À Julie Soulier, pour m'avoir secondée et soutenue.

À Philippe Blanchet, qui m'a fait confiance.

À Philippe Barbot, pour m'avoir donné accès à son interview de Brassens, réalisée pour *Télérama*.

Merci également à mes parents, Zoé Cassavetti, Hugo Cassavetti, Christelle Parlanti, Valérie Robert, Richard Gianorio, Dimitri from Paris, Fred Royer, Denise Sarembaud. Un clin d'œil à Daniel Nahmias, 12 ans et déjà fan de Brassens.

Table

CATALOGUE LIBRIO

CLASSIQUES

Affaire Dreyfus (L')
J'accuse et autres documents - n°201

Alphonse Allais
L'affaire Blaireau - n°43
A l'œil - n°50

Honoré de Balzac
Le colonel Chabert - n°28
Melmoth réconcilié - n°168
Ferragus, chef des Dévorants - n°226

Jules Barbey d'Aurevilly
Le bonheur dans le crime - n°196

Charles Baudelaire
Les Fleurs du Mal - n°48
Le Spleen de Paris - n°179
Les paradis artificiels - n°212

Beaumarchais
Le barbier de Séville - n°139

Bernardin de Saint-Pierre
Paul et Virginie - n°65

Pedro Calderón de la Barca
La vie est un songe - n°130

Giacomo Casanova
Plaisirs de bouche - n°220

Corneille
Le Cid - n°21

Alphonse Daudet
Lettres de mon moulin - n°12
Sapho - n°86
Tartarin de Tarascon - n°164

Descartes
Le discours de la méthode - n°299
(*juillet 99*)

Charles Dickens
Un chant de Noël - n°146

Denis Diderot
Le neveu de Rameau - n°61

Fiodor Dostoïevski
L'éternel mari - n°112
Le joueur - n°155

Gustave Flaubert
Trois contes - n°45
Dictionnaire des idées reçues - n°175

Anatole France
Le livre de mon ami - n°121

Théophile Gautier
Le roman de la momie - n°81
La morte amoureuse - n°263

Genèse (La) - n°90

Goethe
Faust - n°82

Nicolas Gogol
Le journal d'un fou - n°120
La nuit de Noël - n°252

Grimm
Blanche-Neige - n°248

Victor Hugo
Le dernier jour d'un condamné - n°70

Henry James
Une vie à Londres - n°159
Le tour d'écrou - n°200

Franz Kafka
La métamorphose - n°3

Eugène Labiche
Le voyage de Monsieur Perrichon - n°270

Madame de La Fayette
La Princesse de Clèves - n°57

Jean de La Fontaine
Le lièvre et la tortue et autres fables - n°131

Alphonse de Lamartine
Graziella - n°143

Gaston Leroux
Le fauteuil hanté - n°126

Longus
Daphnis et Chloé - n°49

Pierre Louÿs
La Femme et le Pantin - n°40
Manuel de civilité - n°255
(*Pour lecteurs avertis*)

Nicolas Machiavel
Le Prince - n°163

Stéphane Mallarmé
Poésie - n°135

Guy de Maupassant
Le Horla - n°1
Boule de Suif - n°27
Une partie de campagne - n°29
La maison Tellier - n°44
Une vie - n°109
Pierre et Jean - n°151
La petite Roque - n°217
Le docteur Héraclius Gloss - n°282

Karl Marx, Friedrich Engels
Manifeste du parti communiste - n°210

Prosper Mérimée
Carmen - n°13
Mateo Falcone - n°98
Colomba - n°167
La vénus d'Ille - n°236

Les Mille et Une Nuits
Histoire de Sindbad
le Marin - n°147
Aladdin ou la lampe merveilleuse - n°191
Ali Baba et les quarante voleurs - n°298
(*juillet 99*)

Mirabeau
L'éducation de Laure - n°256
(*Pour lecteurs avertis*)

Molière
Dom Juan - n°14
Les fourberies de Scapin - n°181
Le bourgeois gentilhomme - n°235
L'école des femmes n°277

Alfred de Musset
Les caprices de Marianne - n°39

Gérard de Nerval
Aurélia - n°23
Ovide
L'art d'aimer - n°11

Charles Perrault
Contes de ma mère l'Oye - n°32

Platon
Le banquet - n°76

Edgar Allan Poe
Double assassinat dans la rue Morgue - n°26
Le scarabée d'or - n°93
Le chat noir - n°213
La chute de la maison Usher - n°293
(*juin 99*)

Alexandre Pouchkine
La fille du capitaine - n°24
La dame de pique - n°74

Abbé Prévost
Manon Lescaut - n°94

Raymond Radiguet
Le diable au corps - n°8
Le bal du comte d'Orgel - n°156

Jules Renard
Poil de Carotte - n°25
Histoires naturelles - n°134

Arthur Rimbaud
Le bateau ivre - n°18

Edmond Rostand
Cyrano de Bergerac - n°116

Marquis de Sade
Le président mystifié - n°97
Les infortunes de la vertu - n°172

George Sand
La mare au diable - n°78
La petite Fadette - n°205
Scènes gourmandes - n°286

William Shakespeare
Roméo et Juliette - n°9
Hamlet - n°54
Othello - n°108
Macbeth - n°178

Sophocle
Œdipe roi - n°30

Stendhal
L'abbesse de Castro - n°117
Le coffre et le revenant - n°221

Robert Louis Stevenson
Olalla des Montagnes - n°73
Le cas étrange du
Dr Jekyll et de M. Hyde - n°113

Anton Tchekhov
La dame au petit chien - n°142
La salle n°6 - n°189

Léon Tolstoï
Hadji Mourad - n°85
La mort d'Ivan Ilitch - n°287

Ivan Tourgueniev
Premier amour - n°17

Mark Twain
Trois mille ans chez les microbes - n°176

Vâtsyâyana
Kâma Sûtra - n°152

Bernard Vargaftig
La poésie des Romantiques - n°262

Paul Verlaine
Poèmes saturniens *suivi de*
Fêtes galantes - n°62
Romances sans paroles - n°187
Poèmes érotiques - n° 257
(*Pour lecteurs avertis*)

Jules Verne
Les cinq cents millions de la Bégum - n°52
Les forceurs de blocus - n°66
Le château des Carpathes - n°171
Les Indes noires - n°227

Voltaire
Candide - n°31
Zadig ou la Destinée - n°77
L'ingénu - n°180

Emile Zola
La mort d'Olivier Bécaille - n°42
Naïs - n°127
L'attaque du moulin - n°182

LITTÉRATURE

Richard Bach
Jonathan Livingston le goéland - n°2

René Barjavel
Béni soit l'atome - n°261

René Belletto
Le temps mort
- L'homme de main - n°19
- La vie rêvée - n°37

Pierre Benoit
Le soleil de minuit - n°60

Nina Berberova
L'accompagnatrice - n°198

Georges Bernanos
Un crime - n°194
Un mauvais rêve - n°247

Patrick Besson
Lettre à un ami perdu - n°218

André Beucler
Gueule d'amour - n°53

Calixthe Beyala
C'est le soleil qui m'a brûlée - n°165

Alphonse Boudard
Une bonne affaire - n°99
Outrage aux mœurs - n°136

Serge Brussolo
Soleil de soufre - n°291 (*juin 99*)

Francis Carco
Rien qu'une femme - n°71

Muriel Cerf
Amérindiennes - n°95

Jean-Pierre Chabrol
Contes à mi-voix
- La soupe de la mamée - n°55
- La rencontre de Clotilde - n°63

Georges-Olivier Châteaureynaud
Le jardin dans l'île - n°144

Andrée Chedid
Le sixième jour - n°47
L'enfant multiple - n°107
Le sommeil délivré - n°153
L'autre - n°203
L'artiste - n°281

Bernard Clavel
Tiennot - n°35
L'homme du Labrador - n°118
Contes et légendes du Bordelais - n°224

Jean Cocteau
Orphée - n°75

Colette
Le blé en herbe - n°7
La fin de Chéri - n°15
L'entrave - n°41

Raphaël Confiant
Chimères d'En-Ville - n°240

Pierre Dac
Dico franco-loufoque - n°128
Bons baisers de partout - 1 - n°275
Bons baisers de partout - 2 - n°292
(*juillet 99*)

Philippe Delerm
L'envol - n°280

André Dhôtel
Le pays où l'on arrive jamais - n°276

Philippe Djian
Crocodiles - n°10

Les droits de l'homme
Anthologie présentée par Jean-Jacques Gandini - n°250

Richard Paul Evans
Le coffret de Noël - n°252

Frison-Roche
Premier de cordée, 2 vol. - n^os^148 et 149

Gulliver - 1 (revue) - Dire le monde - n°239
Gulliver - 2 (revue) - Musique ! - n°269
Gulliver - 3 (revue) - World Fiction - n°285

Khalil Gibran
Le Prophète - n°185

Albrecht Goes
Jusqu'à l'aube - n°140

Sacha Guitry
Bloompott - n°204

Frédérique Hébrard
Le mois de septembre - n°79

Eric Holder
On dirait une actrice - n°183

Michel Houellebecq
Rester vivant - n°274

Raymond Jean
La lectrice - n°157

Jean-Charles
La foire aux cancres - n°132

Félicien Marceau
Le voyage de noce de Figaro - n°83

Jean Markale
Le temps des merveilles (anthologie) - n°297 (*juillet 99*)

François Mauriac
Un adolescent d'autrefois - n°122

Méditerranées
Une anthologie présentée par Michel Le Bris et J.-C. Izzo - n°219

Henry de Monfreid
Le récif maudit - n°173
La sirène du Rio Pongo - n°216

Alberto Moravia
Le mépris - n°87

Claude Nougaro
Le Jazz et la Java - n°199

Paroles de poilus
Anthologie. Lettres du front 1914-1918 - n°245

Claude Pujade-Renaud
Vous êtes toute seule ? - n°184

Henri Queffélec
Un recteur de l'île de Sein - n°169

Vincent Ravalec
Du pain pour les pauvres - n°111
Joséphine et les gitans - n°242

Gilles de Saint-Avit
Deux filles et leur mère - n°254
(*Pour lecteurs avertis*)

Erich Segal
Love Story - n°22

Albert t'Serstevens
L'or du Cristobal - n°33
Taïa - n°88

Sortons couverts !
(10 histoires de préservatifs) - n°290 (*juin 99*)

Denis Tillinac
Elvis - n°186

Marc Trillard
Un exil - n°241

Henri Troyat
La neige en deuil - n°6
Le geste d'Eve - n°36
La pierre, la feuille et les ciseaux - n°67
La rouquine - n°110
Viou - n°284

Vladimir Volkoff
Nouvelles américaines
- Un homme juste - n°124
- Un cas de force mineure - n°166

Xavière
La punition - n°253
(*Pour lecteurs avertis*)

LIBRIO MUSIQUE

Guillaume Bara
La Techno - n°265

Pascal Bussy
Coltrane - n°267

Emmanuelle Debaussart
Les musiques celtiques - n°294 (*juillet 99*)

Francis Dordor
Bob Marley - n°278

François Ducray
Gainsbourg - n°264

François-Xavier Gomez
Les musiques cubaines - n°279

Florence Tredez
Georges Brassens - n°295 (*juillet 99*)

Nicolas Ungemuth
Bowie - n°266

POLICIERS

John Buchan
Les 39 marches - n°96

Leslie Charteris
Le Saint
- Le Saint entre en scène - n°141
- Le policier fantôme - n°158
- En petites coupures - n°174
- Impôt sur le crime - n°195
- Par ici la monnaie ! - n°231

Arthur Conan Doyle
Sherlock Holmes
- La bande mouchetée - n°5
- Le rituel des Musgrave - n°34
- La cycliste solitaire - n°51
- Une étude en rouge - n°69
- Les six Napoléons - n°84
- Le chien des Baskerville - n°119
- Un scandale en Bohême - n°138
- Le signe des Quatre - n°162
- Le diadème de Béryls - n°202
- Le problème final - n°229
- Les hommes dansants - n°283 (*avril 99*)

Ellery Queen
Le char de Phaéton - n°16
La course au trésor - n°80
La mort de Don Juan - n°228

Jean Ray
Harry Dickson
- Le châtiment des Foyle - n°38
- Les étoiles de la mort - n°56
- Le fauteuil 27 - n°72
- La terrible nuit du zoo - n°89
- Le temple de fer - n°115
- Le lit du diable - n°133
- L'étrange lueur verte - n°154
- La bande de l'Araignée - n°170
- Les Illustres Fils du Zodiaque - n°190
- L'île de la terreur - n°230

LIBRIO NOIR

Bill Ballinger
Version originale - n°244

James M. Cain
Le bébé dans le frigidaire - n°238

Didier Daeninckx
Autres lieux - n°91
Main courante - n°161
Le Poulpe/Nazis dans le métro - n°222
Les figurants - n°243

Gérard Delteil
Le Poulpe/Chili incarné - n°272

Pascal Dessaint
Le Poulpe/Les pis rennais - n°258

Frédéric H. Fajardie
Les Hauts-vents - n°289 (*juin 99*)

Jean-Claude Izzo
Vivre fatigue - n°208

Thierry Jonquet
Le pauvre nouveau est arrivé ! - n°223

Méchante dose (La)
(Anthologie présentée par
Jacques Sadoul) - n°273

Daniel Picouly
Tête de nègre - n°209

Jean-Bernard Pouy
Le Poulpe/La petite écuyère a cafté - n°206

Hervé Prudon
Le Poulpe/Ouarzazate et mourir - n°288
(*juin 99*)

Patrick Raynal
Le Poulpe/Arrêtez le carrelage - n°207

Jean-Jacques Reboux
Le Poulpe/La cerise sur le gâteux - n°237

François Thomazeau
Les aventures de Schram et Guigou/
Qui a tué M. Cul ? - n°259

FANTASTIQUE - S.-F.

Isaac Asimov
La pierre parlante - n°129

Ray Bradbury
Celui qui attend - n°59

Jacques Cazotte
Le diable amoureux - n°20

Cent ans de Dracula (Les)
8 histoires de vampires - n°160

Arthur C. Clarke
Les neuf milliards de noms de Dieu - n°145

Contes fantastiques de Noël
Anthologie - n°197

Philip K. Dick
Les braconniers du cosmos - n°211

Dimension fantastique (La)
13 nouvelles fantastiques - n°150

Dimension fantastique 2 (La)
6 nouvelles fantastiques - n°234

Dimension fantastique 3 (La)
10 nouvelles fantastiques - n°271

Alexandre Dumas
La femme au collier
de velours - n°58

Erckmann-Chatrian
Hugues-le-Loup - n°192

Claude Farrère
La maison des hommes vivants - n°92

Stephen King
Le singe - n°4
La ballade de la balle élastique - n°46
La ligne verte
- Deux petites filles mortes - n°100
- Mister Jingles - n°101
- Les mains de Caffey - n°102
- La mort affreuse d'Edouard Delacroix - n°103
- L'équipée nocturne - n°104
- Caffey sur la ligne - n°105
Danse macabre - 1 - n°193
Danse macabre - 2 - n°214
Danse macabre - 3 - n°233
Danse macabre - 4 - n°249

William Gibson
Fragments de rose en hologramme - n° 215

Howard P. Lovecraft
Les Autres Dieux - n°68
La quête onirique de Kadath l'inconnue - n°188

Arthur Machen
Le grand dieu Pan - n°64

Terry Pratchett
Le Peuple du Tapis - n°268

Clifford D. Simak
Honorable adversaire - n°246

Dan Simmons
Le conseiller - n°260

Bram Stoker
L'enterrement des rats - n°125

Le livre à 10 F

295

Achevé d'imprimer en Europe
à Pössneck (Thuringe, Allemagne)
en juin 1999 pour le compte de EJL
84, rue de Grenelle 75007 Paris
Dépôt légal juin 1999

Diffusion France et étranger : Flammarion